# GUIDE DE CONVERSATION

# FRANÇAIS

### avec la pronon
### et 5 planche illustrées

par

## Robert Larrieu

*agrégé d'espagnol*

avec la collaboration,
pour la partie grammaticale
et les transcriptions phonétiques,
de

## José Javier de Azaola

*lecteur d'espagnol à l'Université de Nantes*

Éditions Garnier
8, rue Garancière
PARIS

ISBN 2-7050-0085-2
ISBN 2-7370-0007-6

# INDEX ALPHABÉTIQUE DES MATIÈRES

# FAITES CONNAISSANCE AVEC L'ESPAGNE

## I. — Indications générales.

### a) Climat.

*Sécheresse* : On distingue une Espagne sèche et une Espagne humide; l'Espagne humide ne comprend guère que la Galice, la bande de terre située au Nord de la chaîne cantabrique, les Pyrénées et, à l'intérieur, la sierra de Gredos. En général, moins de 500 mm d'eau par an; 2 000 mm dans la zone cantabrique, mais 300 mm dans plusieurs régions.

*Températures variables :*

— Littoral cantabrique et Galice. Hiver : moyenne légèrement inférieure à 10°. Eté : maxima de 20° environ.

— Côtes méditerranéennes : moyenne rarement inférieure à 10°. Hiver doux; été très chaud.

— Andalousie et Estrémadure : hiver tempéré, été brûlant.

— Vieille-Castille et dépression aragonaise : hiver très froid (température moyenne inférieure à 5°); été chaud et sec.

— Nouvelle-Castille : hiver également froid; été excessivement chaud (rivières parfois asséchées, par exemple dans la Manche).

### b) Superficie : Environ 500 000 km².

### c) Population : 33 000 000 d'habitants (58 habitants au km², inégalement répartis).

**d) Centres urbains :** Vingt-quatre villes comptent plus de 100 000 habitants.

## II. — Conditions d'entrée.

Pour les Français, la carte d'identité suffit. Un passeport périmé depuis moins de cinq ans permet également d'entrer en Espagne.

L'automobiliste venant de France doit être muni du permis de conduire français ou du permis international. La carte verte d'assurance automobile est obligatoire.

## III. — Voies d'accès.

**a) Rail :** A l'Ouest, la ligne du rivage atlantique franchit la Bidassoa au pont international qui relie Hendaye à Irun. La ligne internationale de l'Est passe par Cerbère et, du côté espagnol, Port-Bou. Entre les deux mers, on peut emprunter le transpyrénéen de l'Ouest, c'est-à-dire celui de Canfranc. Quant à la ligne Ax-les-Thermes-Ripoll (province de Gerona), son trafic est insignifiant.

**b) Routes :** Pour l'automobiliste venant de France, les principales voies d'accès sont les suivantes : par Bayonne, Saint-Jean-de-Luz, Irun ou Béhobie ; par Saint-Jean-Pied-de-Port ; par Pau, Oloron, le col de Somport, Canfranc, Jaca ; par Saint-Gaudens, le Pont-du-Roi (ou le Portillon), le Val d'Aran, le tunnel de Viella, Lérida ; par Ax-les-Thermes, le col d'Envalira, Andorre ; par Mont-Louis, Bourg-Madame, Puigcerda ; par Perpignan, le col du Perthus, La Junquera, Figueras ; par Perpignan, Port-Vendres, Cerbère, Port-Bou, Figueras, Gerona, Barcelona.

**c) Air :** Air-France et Iberia assurent les liaisons Paris-Madrid, Paris-Barcelone, Paris-Palma de Mallorca, Paris-Malaga-Canarias, etc.

**d) Mer :** Toutes les formalités concernant l'entrée des bateaux de plaisance sont supprimées, mais on exige le permis de conduire.

## IV. — Circulation dans le pays.

**a) Rail :** On a intérêt à prendre un billet circulaire ou un billet kilométrique. Se renseigner dans chaque ville et à Paris : 3, av. Marceau, au bureau de la R.E.N.F.E. (Red Nacional de los Ferrocarriles Españoles).

**b) Réseau routier :** Il est satisfaisant. Les stations-services sont nombreuses. Il existe dans toute l'Espagne des services d'autocars qui relient les villes importantes. S'adresser, pour tous renseignements, aux agences de la Direction du Tourisme dans toutes les villes et aussi aux bureaux de la Sede de Turismo, 39, avenida Generalísimo, Madrid.

**c) Air :** Se déplacer en avion est extrêmement facile en Espagne.

**d) Transports urbains :** Les taxis sont nombreux et relativement bon marché. Les voitures des hôtels assurent généralement le service en ville. Les autobus constituent le moyen de transport le plus répandu dans les relations suburbaines et locales. Plusieurs villes ont des *estaciones de autobuses*, c'est-à-dire des gares routières. Les trolleybus munis d'une impériale ont remplacé, presque partout, les tramways. Le métro de Madrid et celui de Barcelona sont confortables.

## V. — Logement.

**a) Camping individuel :** Il faut posséder le carnet international de l'A.I.T., délivré par le Touring Club de France. Taxes journalières à payer sur terrain aménagé : s'adresser au bureau local de la Dirección General del Turismo ou à la mairie.

**b)** Pour louer une **villa** ou un **appartement,** s'adresser aux agences de location dont l'Office National Espagnol du Tourisme, 29, avenue George V, Paris VIIIᵉ, fournit la liste.

**c)** Les **hôtels** sont classés en cinq catégories : luxe, 1A, 1B, 2 et 3. Les pensions en comprennent quatre : luxe, 1, 2 et 3. Les prix sont globaux. Y sont inclus les 15 % du service et toutes les taxes. A signaler une chaîne d'hôtels confortables contrôlés par le D.G. du Tourisme : les *paradores* (relais), les auberges routières, les hôtelleries et les refuges de montagne.


## VI. — Nourriture.

Même dans un hôtel de 3ᵉ catégorie, elle est abondante. C'est dans les *fondas* (hôtels modestes) qu'on peut savourer les plats typiquement espagnols : *le cocido madrilène,* sorte de pot-au-feu ; la morue *(bacalao)* à la biscaïenne (avec oignons et pulpe de piments rouges secs) ; le *gazpacho andalou,* salade de crudités ; la *paella valencienne,* plat de riz où entrent viande, poisson et crustacés ; la *tortilla,* omelette aux pommes de terre et aux oignons ; les *calamares fritos* (encornets frits) ; les *gambas a la plancha,* grosses crevettes grillées, etc.

Dans les restaurants, on mange à la carte ou au menu. Dans les cafés, petits bars *(colmados),* bistrots *(tascas),* cabarets *(tabernas),* on consomme d'excellentes *tapas* (amuse-gueules) : olives *(aceitunas),* anchois *(boquerones),* palourdes *(almejas),* crevettes *(gambas),* encornets *(calamares),* etc. Avec les amuse-gueules, on boit du *jerez* et du *manzanilla.* Les vins de table les plus appréciés sont le *rioja* et le *valdepeñas.* Dans les buvettes *(horchaterías),* on sert de l'orgeat *(horchata),* de la citronnade *(agua de limón),* du verjus *(agraz),* du lait glacé, etc. Le cidre des Asturies, les anisettes, sont d'excellente qualité. Le chocolat, parfumé à la cannelle, se boit très épais.

## VII. — Principaux centres d'intérêt.

Ils sont innombrables.

**a) L'attrait du pays :** ses montagnes sauvages (les *Sierras*), la *Meseta* qui couvre la majeure partie de la Péninsule, les côtes (la côte basque, les *rías* galiciennes), la *Costa Brava*, la *Costa del Sol*, etc), les plages merveilleuses de Santander, de Saint-Sébastien, du littoral méditerranéen, des Baléares et des Canaries, etc.

**b) Les riches vestiges historiques :** Romains, Wisigoths et Musulmans occupèrent le pays tour à tour. Les Mulsumans, notamment, y ont laissé un trésor artistique et culturel : alcazars, mosquées de Cordoue, de Séville, de Grenade, etc.

**c) L'art, les monuments et les musées :** On y peut admirer les peintures rupestres des grottes d'Altamira et aussi des expositions de l'art abstrait le plus moderne. Partout surgissent des châteaux, des monastères, des églises d'une incomparable valeur artistique. Quant aux musées, ils sont innombrables. Celui du Prado, à Madrid, offre aux visiteurs d'inépuisables richesses. Signalons aussi les musées de Barcelona, de Valladolid, de Sevilla et de Toledo.

**d) Divertissements :** Fêtes (voir ci-après), danses régionales (*sardanas* de Catalogne, *jotas* aragonaises, *sevillanas*, *bulerías* et *malagueñas* d'Andalousie, danses populaires du pays Basque,) courses de taureaux (voir p. 129), etc. Chasse (cerfs, sangliers, chamois, etc.) dans les réserves de Gredos et de la Serranía de Ronda, et pêche, par exemple, la pêche au saumon dans certaines rivières (Sella, Eo, Narcea, etc).

## MANIFESTATIONS FOLKLORIQUES

| Quand? | Où? | Quoi? |
|---|---|---|
| 1er janvier | Partout | *El día de Año Nuevo* (Nouvel An) |
| 2 janvier | Grenade | Commémoration de la reconquête de Grenade (1492) |
| 6 janvier | Partout | *Los Reyes* (Epiphanie) |
| 5 février | Province de Ségovie. Biscaye. (Des chœurs parcourent les rues pendant la nuit). | *Santa Agueda* (La Sainte-Agathe). Les villages élisent une alcaldesa (mairesse) |
| 19 mars | A Valence | *San José* (La Saint-Joseph). On brûle les *fallas* (mannequins représentant des sujets satiriques) |
| Mars Semaine sainte | Partout, notamment à Séville, Malaga, Grenade, Salamanque, Tolède, etc. | Fêtes populaires colorées, avec processions, défilés de pénitents, *pasos* (groupes figurant une scène de la Passion, etc) |
| 1er avril | Partout | *Día de la Victoria* (Jour de la Victoire) |
| 18-23 avril | A Séville | Fête du Printemps. La *Feria* |
| 23 avril | A Alcoy (Alicante) | Fête des Maures et des Chrétiens |
| 2 mai | Partout | Fête de l'Indépendance |
| 15 mai | A Madrid | *San Isidro* (La Saint-Isidore), patron de Madrid |
| Mai ou juin | Partout | *Corpus* (Fête-Dieu) Fêtes populaires |

| | | |
|---|---|---|
| **24 juin** | Partout | San Juan (La Saint-Jean). *Hogueras* (feux de joie). Danses |
| **7 juillet** | A Pampelune | *San Fermín* (La Saint-Firmin). Fêtes tauromachiques |
| **18 juillet** | Partout | Fête nationale |
| **25 juillet** | A Compostelle | *Santiago Apóstol* (Saint-Jacques l'Apôtre) |
| **15 août** | A Elche (Alicante) | Assomption. Représentation du fameux mystère d'*Elche* |
| **8 septembre** | A Salamanque | *Romería* (Pèlerinage et fête populaire en résultant) de la *Peña de Francia* |
| **21 septembre** | A Valladolid A Oviedo | *San Mateo* (La Saint-Mathieu) |
| **29 septembre** | A Grenade | *San Miguel* (La Saint-Michel) |
| **4 octobre** | A Badajoz | Fête de *Zafra*, ap. la foire au bétail |
| **7 et 15 octobre** | A Avila | *Santa Teresa* (La Sainte-Thérèse) |
| **11-18 octobre** | A Saragosse | *Nuestra Señora del Pilar* (Notre-Dame au Pilier), très vénérée, patronne de Saragosse |
| **12 octobre** | Partout | *Día de la Raza* (Jour de la Race). Anniversaire de la découverte de l'Amérique dans tout le monde hispanique |
| **1ᵉʳ novembre** | Partout | *Fiesta de Todos los Santos* (La Toussaint) |
| **25 décembre** | Partout | *Navidades* (Noël) |
| **31 décembre** | Partout | Fêtes de fin d'année. On avale douze grains de raisin aux douze coups de minuit |

# FAITES CONNAISSANCE AVEC L'ESPAGNOL

## I — PRONONCIATION ET TRANSCRIPTIONS

### A. Caractéristiques générales.

a) *Variétés de prononciation.* — En espagnol, comme dans la plupart des langues, on trouve plusieurs types de prononciation selon les régions et les couches sociales. Nous donnerons uniquement la prononciation admise par l'Académie espagnole, mais en tenant toujours compte des difficultés des francophones et en donnant, dans les cas litigieux, priorité au langage parlé sur la prononciation trop savante ou recherchée.

b) *Le rapport prononciation-écriture.* — Il n'y a pas de lettres postiches en espagnol (sauf l'**h** qui ne se prononce jamais, et l'**u** dans les groupes *gue, gui, que* et *qui* : voir **B**. Transcriptions, p. XIII) ; en principe, à chaque lettre correspond toujours le même son.

Certaines lettres, en position finale de mot, ne se prononcent pas dans le langage populaire ; cette omission constitue une incorrection, sauf pour **d** :

Ex. : *Usted*, « vous » : prononcer Ousské.

La lettre **b** et la lettre **v** se prononcent de la même manière, sauf dans la région de Valence ; les deux sont plus proches du **b** français que du **v**.

c) *Principales difficultés pour un francophone.* — En espagnol, il y a plusieurs sons qui n'existent pas en français, ce sont :

**ch** consonne, très proche de *tch* comme dans *Tchad*, mais prononcée sans mouvement préalable de la langue vers la partie intérieure des dents supérieures.

**j** (ou **g** devant **e** ou **i** : **ge**, **gi**), qui rappelle un peu l'**r** français non roulé, mais s'articule un peu plus en arrière et plus fortement, donnant une impression de raclement;

**ll**, *l* mouillé qui existe aussi en italien (*gl* de *imbroglio*), ressemble quelque peu à *li* français dans *milieu*, mais beaucoup plus mouillé.

**r**, r roulé avec une (r simple) ou plusieurs (r double) vibrations de la pointe de la langue; le point d'articulation de ce son est plus près de l'**l** que de l'**r** français;

**z** (ou **c** devant **e** ou **i** : **ce**, **ci**) est, à peu près, l'équivalent du *th* anglais, (pour le prononcer correctement il faut tenir le bout de la langue entre les dents et souffler) et ressemble à ce que prononce en français, au lieu de *ch*, quelqu'un qui zézaie.

## B. Transcriptions.

Pour les sons se rapprochant du français ou existant déjà, nous employons toujours la graphie française, pour ceux qui n'existent pas on utilisera des signes conventionnels en petites capitales.

L'accent tonique du mot est indiqué par le caractère gras de la voyelle qu'il frappe.

Les signes employés sont les suivants :

| Transcription | Exemple | Équivalent français | Observations |
|---|---|---|---|
| a | vaca (b**a**ca) | papa | |
| b | bravo (br**a**bo) | bête | *b* et *v* notent le même son. |
| d | dar (dar) | doigt | |
| é | mes (méss) | été | e espagnol (sans accent) = é ou è français, *jamais* e muet. |

| **f** | fin (finn) | fête | La graphie savante *ph* n'existe pas. |
| **g** | higo (**i**go) | gaine | Comme en français, l'*u* de *gue* et de *gui* ne se prononce pas, sauf s'il y a un tréma sur l'*u* (*güe, güi*). |
| **gn** | año (**a**gno) | agneau | C'est la lettre *ñ* qui correspond à *gn* français de agneau et si on trouve en espagnol *g* précédant *n*, il s'agit de deux consonnes à prononcer séparément comme dans magnum. |
| **g'n** | magno (m**a**g'no) | magnum | |
| **i** | mil (mil) | mil | Pour la transcription *ï* (tréma) voir voyelles et diphtongues (page XVI). |
| **k** | local (lok**a**l) | local | *k* correspond aux lettres *k, c* (dans les groupes *ca, co, cu*) et *qu* (*que, qui*). |
| **l** | león (lé**o**nn) | lune | |
| **LY** | llave (LY**a**bé) | | Ne pas confondre avec le son *y*, comme on le fait souvent en espagnol populaire. |
| **m** | cama (k**a**ma) | miel | L'*m* double et l'*n* double n'existent pas en espagnol, mais on les trouvera souvent dans les transcriptions où ils indiquent |
| **n** | luna (l**ou**na) | nom | |

que la consonne doit être prononcée pour elle-même, la voyelle précédente n'étant pas nasale (redondo = rredonndo, avec voyelle *o*, non *on*).

| | | |
|---|---|---|
| **o** | sol (sol) | pôle |
| **ou** | muro (mouro) | moule |
| **p** | pipa (pipa) | pipe |
| **r** | hora (ora) | |
| **rr** | zorra (THorra) | |

Le son *rr*, s'écrit simple au début d'un mot ou après *l*, *n* et *s*.

| | | |
|---|---|---|
| **RH** | raja (rraRHa) | |

Dans l'écriture *RH* est représenté par *g* (devant *e* ou *i* : *ge*, *gi*) et *j*.

| | | |
|---|---|---|
| **s** | desde (désdé) | fusil |
| **ss** | casa (kassa) | massif |

Le son de l's espagnol, même entre voyelles, est assez près de l's double français; au début d'un mot, nous avons gardé la graphie *s* simple, comme en français. L'*x* devant une consonne se prononce *ss*; entre deux voyelles, il équivaut au son *ks*. L's devant une consonne sonore (*b*, *d*, *g*, *m*, *n*, *l*, *r*) est plus près du son français *z* que de l's double.

| **t**   | tela (tela)        | toile  |
|---------|--------------------|--------|
| **tch** | chico (tchiko)     | Tchad  |
| **TH**  | mazo (maTHo)       |        |
| **y**   | mayo (mayo)        | maillot |

Dans l'écriture *TH* est représenté par *c* (devant *e* ou *i* : *ce, ci*) et *z*.

## C. Voyelles et diphtongues.

En espagnol, on trouve cinq voyelles bien différenciées **a, e, i, o, u**, qui présentent des nuances de fermeture ou d'ouverture presque imperceptibles dont on ne tiendra pas compte.

— Ces voyelles ne sont jamais nasalisées; elles gardent donc leur timbre habituel devant m ou n.

— La conjonction espagnole y se prononce comme la voyelle i.

— En espagnol, on réalise souvent des diphtongues qui associent en général le timbre d'une voyelle ouverte (a, e, o) et celui d'une voyelle fermée (i, u). Au contact d'une autre voyelle, on signalera par le tréma (ï) un i qui doit rester vocalique (ainsi sous l'accent tonique dans día, transcrit dïa) au lieu d'être traité en consonne comme dans pied en français.

## D. Consonnes.

Le système des consonnes de l'espagnol comporte, on l'a vu, des sons n'existant pas en français (**j** = RH, **ll** = l mouillé, **z** = TH) ou notés autrement (**ñ** pour gn). On observera, en outre, que l'espagnol utilise certaines lettres uniquement pour écrire des mots étrangers : ainsi **w** et **k**, signe peu utile en espagnol, le son k étant représenté par c ou par qu.

**E. Accent**

a) *L'accent tonique.* En espagnol, l'accent est généralement placé :

— sur l'avant-dernière syllabe dans les mots finissant par une voyelle, ou s ou n : ex : trabajo, cabaña, lunes, comen;

— sur la dernière syllabe dans les mots terminés par une consonne autre que s ou n : ex. : piedad, matiz, comer, alfil, reloj.

b) *L'accent écrit.* Il s'utilise pour marquer la place de l'accent tonique dans les cas qui ne suivent pas les règles précédentes. Ex. : marabú, comeré, ananá, avión, revés; — fácil, córner, dócil, — árabe, ibérico, ínfula.

Il s'emploie aussi :

— pour différencier des mots de forme identique, mais qui ont une fonction grammaticale différente;

— sur les pronoms interrogatifs et exclamatifs.

# II — CARACTÉRISTIQUES GRAMMATICALES GÉNÉRALES

On ne verra ici que quelques données générales sur la grammaire espagnole. Pour les détails, voir le mémento grammatical (p. 150).

**A. Organisation de la phrase.**

L'*ordre des éléments* qui composent la phrase est, en principe, le même qu'en français, c'est-à-dire d'abord le sujet, ensuite le verbe et, finalement, les compléments.

— Le *complément d'objet direct,* du français quand il s'agit de personnes ou d'animaux, est introduit par la *préposition* a.

Ex. : Yo veo mi casa = « je vois ma maison ».
   Yo veo a mi hermano = « je vois mon frère ».

— Quand le *sujet* est un pronom personnel, on n'est pas obligé de le faire figurer dans la phrase, car les personnes de la conjugaison verbale espagnole sont très bien différenciées.

Ex. : Tengo dinero = « j'ai de l'argent ».

— Le *passif*, beaucoup plus rare qu'en français est, généralement, représenté par une tournure *active* ou *réfléchie*.

Ex. : Se me recibió muy bien = « j'ai été très bien reçu ».

— En espagnol, on fait un usage très restreint des temps composés des *verbes*; on utilisera autant que possible les *formes simples*.

## B. Les mots.

En espagnol comme en français, on trouve deux genres; masculin et féminin; deux nombres : singulier et pluriel; et six personnes dans la conjugaison des verbes.

L'emploi des suffixes pour la formation des augmentatifs ou des diminutifs est très fréquent. Les plus usuels sont :

Augmentatifs : -ón (-ona), -ote (-ota), -azo (-aza), etc.

Diminutifs : -ito (-ita), -illo (-illa), -uelo (-uela), -in (-ina).

| Ex. : | | |
|---|---|---|
| casa (maison) | casona | casita |
| libro (livre) | librote | librillo |
| ojos (yeux) | ojazos | ojines |
| mozo (garçon) | mozarrón | mozuelo |

## III — VOCABULAIRE

La plupart des mots espagnols sont d'origine latine et ont une certaine ressemblance avec leurs correspondants français, ce qui se produit aussi pour des mots d'origine arabe, mais ceux-ci, en espagnol, ont gardé l'article arabe préfixé.

Ex. : alcaparra    « câpre »
      alcanfor     « camphre »
      algarroba    « caroube »
      algodón      « coton »

Il faut se méfier souvent de certains mots qui se ressemblent dans les deux langues bien qu'ils aient des significations totalement différentes. Voici une courte liste de ces « faux amis » :

armada : « flotte »
asomar : « apparaître »
azote : « fouet »
barco : « bateau »
barrer : « balayer »
bastón : « canne »
burro : « âne »
col : « chou »
chato : « aplati »
chanza : « plaisanterie »
constipado : « enrhumé »
divisar : « apercevoir »
enfermar : « tomber malade »
entremés : « hors-d'œuvre »
fama : « renommée »
gato : « chat »
jumento : « âne »

limonada : « citronnade »
listo : « intelligent »
pelusa : « duvet »
mancha : « tache »
poltrón : « paresseux »
poste : « poteau »
plancha : « fer à repasser »
procurar : « tâcher de »
sillón : « fauteuil »
sol : « soleil »
subir : « monter »
tabla : « planche »
tachar : « rayer »
tumbar : « renverser »
vianda : « mets »
visaje : « grimace »
zurdo : « gaucher »

## IV — TERMES ET FORMULES DE POLITESSE

Dans l'usage normal, on n'emploie pas de termes correspondants à Monsieur, Madame ou Mademoiselle dans les salutations. On dira simplement : *Buenos días* « bonjour », *perdón* « pardon ».

**Don** « Monsieur », **Doña** « Madame » peuvent être employés, mais ne le sont que devant le prénom. **Señor** « Monsieur «, **Señora** « Madame » et **Señorita** « Mademoiselle » peuvent aussi être employés, mais devant le nom de famille. C'est pourquoi l'en-tête d'une lettre comporte toujours le nom du destinataire précédé de Sr. D. (señor don) Sra. Dña. (señora doña) ou Srta. (señorita).

D'autre part, les femmes mariées gardent leur nom de jeune fille, suivi du nom du mari et précédé de la préposition de, qui n'est pas un signe de noblesse.

Ex. : Sr. D. Juan García : le mari
Sra. Dña Luisa Fernández de García : la femme.

Le vouvoiement existe en espagnol sous la forme de **Usted** pour le singulier et de **Ustedes** pour le pluriel (abréviations Vd. et Vds). Le verbe qui accompagne cette forme doit être mis à la troisième personne du singulier ou du pluriel.

Toutefois, le vouvoiement est moins utilisé en Espagne qu'en France, ce qui choque souvent les visiteurs.

---

### PRINCIPAUX PAYS HISPANOPHONES

Argentina, Bolivia, Costa Rica, Cuba, Chile, Colombia, El Ecuador, España, Guatemala, República Dominicana, Honduras, Méjico, Nicaragua, Panamá, El Paraguay, El Perú, Salvador, El Uruguay, Venezuela, Puerto Rico, Filipinas, Guinea Ecuatorial.

# ÉLÉMENTS GÉNÉRAUX

## FORMULES USUELLES

| | | |
|---|---|---|
| Bonjour, monsieur, madame, mademoiselle | *Buenos días, señor, señora, señorita* | bouenos dïass, segnor, segnora, segnorita |
| Bonsoir | *Buenas tardes* | bouenass tardess |
| Bonne nuit | *Buenas noches* | buenas notchess |
| Au revoir | *Hasta la vista* | assta la bissta |
| Adieu | *Adiós. Vaya Vd. con Dios* | adioss. baya oussté konn dioss |
| A bientôt | *Hasta luego. Hasta pronto* | assta louégo. assta pronto. |
| Salut! | *¡Hola!* | ¡ola! |
| Comment allez-vous? | *¿ Qué tal ? ¿ Cómo le va ?* | ¿ké tal? ¿komo lé ba? |
| Bien, merci, et vous? | *¡Muy bien! Gracias! ¿ y Usted ?* | mouï bienn. ¡grathïass! ¿ i oussté ? |
| Ça va. | *Estoy bien* | estoï bienn |
| Permettez-moi de vous présenter monsieur... | *Permítame que le presente el Señor...* | permitamé ké lé préssennté el segnor... |
| Je suis très heureux de faire votre connaissance | *Encantado de conocerle* | ennkanntado dé kono-THerlé |
| Excusez-moi | *Vd. dispense.* | oussté disspénnssé |
| Pardon | *Perdone Vd. Perdón* | pérdoné oussté. pérdonn |
| A demain | *Hasta mañana* | assta magnana |
| S'il vous plaît | *Por favor* | por fabor |

| | | |
|---|---|---|
| J'ai oublié... | *Me olvidé de...* | mé olbidé dé... |
| J'ai faim | *Tengo hambre* | ténngo ammbré |
| J'ai soif | *Tengo sed* | ténngo sé |
| Je voudrais | *Yo quisiera* | yo kissiéra |
| Je préférerais | *Yo preferiría* | yo préfériría |
| Je cherche | *Busco* | boussko |
| Donnez-moi... | *Déme...* | démé... |
| Apportez-moi... | *Tráigame...* | traïgamé |
| J'ai froid | *Tengo frío* | ténngo frïo |
| J'ai chaud | *Tengo calor* | ténngo calor |
| Je me sens mal | *Me siento mal* | me siénnto mal |
| J'ai sommeil | *Tengo sueño* | ténngo souégno |
| Je suis fatigué | *Estoy cansado* | esstoi kannssado |
| Attendez-moi un instant | *Espéreme Vd. un momento* | esspérémé oussté ounn moménnto |
| Je suis pressé | *Tengo prisa* | ténngo prissa |
| Je vous attends | *Le espero* | lé ésspéro |
| C'est possible | *Puede ser* | pouédé sér |
| Je comprends | *Entiendo* | enntiénndo |
| Vous parlez trop vite pour moi | *Usted habla demasiado de prisa para mí* | oussté abla démassiado dé prissa para mi |
| J'ai quelque chose à vous dire | *Tengo que decirle algo* | ténngo ké déTHirlé algo |
| Je vous écoute | *Le escucho* | lé ésskoutcho |
| Venez | *Venga* | bénnga |

## QUESTIONS

| | | |
|---|---|---|
| Déjà? | ¿Ya? | ¿ya? |
| Comment? | ¿Cómo? | ¿komo? |
| Combien? | ¿Cuánto? | ¿kouannto? |
| Où? | ¿Dónde? | ¿donndé? |
| Pourquoi? | ¿Por qué? | ¿por ké? |
| Qui? | ¿Quién? | ¿kïénn? |
| Quoi? | ¿Qué? | ¿ké? |
| A quelle heure? | ¿A qué hora? | ¿a ké ora? |
| Où est-ce? | ¿Dónde está? | ¿donndé éssta? |
| Parlez-vous français? | ¿Habla Vd. francés? | ¿abla oussté frann-THéss? |
| Me comprenez-vous? | ¿Me entiende Vd.? | ¿me énntiénndé oussté? |
| Pouvez-vous l'écrire? | ¿Puede escribirlo? | ¿pouédé esskribirlo? |
| Que dites-vous? | ¿Qué dice Vd.? | ¿ké diTHé oussté? |
| Que désirez-vous? | ¿Qué desea Vd.? | ¿ké désséa oussté? |
| Que signifie ce mot? | ¿Qué significa esta palabra? | ¿ké sig'nifika éssta palabra? |
| Comment s'appelle ceci? | ¿Cómo se llama esto? | ¿komo sé LYama éssto? |
| En êtes-vous sûr? | ¿Está Vd. seguro de ello? | ¿essta oussté ségouro dé éLYo? |
| Où allons-nous? | ¿A dónde vamos? | ¿a donndé bamoss? |
| Où puis-je trouver...? | ¿Dónde puedo encontrar...? | ¿donndé pouédo énnkonntrar...? |
| Pouvez-vous m'indiquer? | ¿Puede indicarme? | ¿pouédé inndikarmé? |
| Puis-je? | ¿Puedo? | ¿pouédo? |

| | | |
|---|---|---|
| Pouvez-vous? | ¿Puede Vd.? | ¿pouédé oussté? |
| Y a-t-il? | ¿Hay? | ¿aï? |
| Avez-vous? | ¿Tiene Vd.? | ¿tiéné oussté? |
| Connaissez-vous? | ¿Conoce Vd.? | ¿konoTHé oussté? |
| Voulez-vous? | ¿Quiere Vd.? | ¿kiéré oussté? |
| Combien coûte...? | ¿Cuánto vale? | ¿kouannto balé? |
| Pouvez-vous me dire? | ¿Puede Vd. decirme? | ¿pouédé oussté déTHirmé? |
| Comment s'appelle? | ¿Cómo se llama? | ¿komo sé LYama? |
| Comment vous appelez-vous? | ¿Cómo se llama Vd.? | ¿komo sé LYamé oussté? |
| D'où venez-vous? | ¿De dónde viene Vd.? | ¿dé donndé biené oussté? |
| Quel âge avez-vous? | ¿Cuántos años tiene Vd.? | ¿kouanntoss agnoss tiené oussté? |
| Où habitez-vous? | ¿Dónde vive Vd.? | ¿donndé bibé oussté? |
| Quel est votre nom? | ¿Cuál es su apellido? | ¿koual ess sou apéLYido? |
| Quel est votre prénom? | ¿Cuál es su nombre de pila? | ¿koual ess sou nommbré de pila? |
| Qui est-ce? qu'est-ce? | ¿Quién es? ¿qué es esto? | ¿kienn ess? ¿ké éss éssto? |
| Pouvez-vous m'aider? | ¿Puede Vd. ayudarme? | ¿pouédé oussté ayoudarmé? |
| Est-ce prêt? | ¿Está listo? | ¿essta lissto? |
| Puis-je vous être utile? | ¿Puedo serle útil en algo? | ¿pouédé serlé outil enn algo? |

## REMERCIEMENTS

| Merci | *Gracias* | graTHïass |
| Je vous en prie | *Se lo ruego* | sé lo rrouégo |
| Avec plaisir | *Con mucho gusto* | konn moutcho goussto |
| Volontiers | *De buena gana* | dé bouéna gana |
| De rien | *De nada* | dé nada |
| A votre service | *Servidor de Vd.* | sérbidor dé ousté |

## AFFIRMATIONS ET ASSENTIMENTS

| Oui | *Sí* | si |
| Certainement; certes | *Ciertamente; por cierto* | THïértaménnté; por Thïérto |
| Évidemment | *Evidentemente* | ebidénntéménnté |
| C'est exact | *Exacto* | ekssakto |
| Sans doute | *Sin duda* | sinn douda |
| En effet | *En efecto* | enn éfékto |
| Croyez-moi | *Créame* | kréamé |
| Je vous assure | *Se lo aseguro* | sé lo asségouro |
| J'en suis sûr | *Estoy seguro* | esstoï ségouro |
| D'accord | *Conforme (De acuerdo)* | konnformé (dé akouérdo) |
| Il me semble | *Me parece* | mé paréTHé |
| Cela m'est égal | *Me da lo mismo* | mé da lo missmo |
| Vous avez raison | *Tiene Vd. razón* | tiéné ousté rra-THonn |
| Cela va de soi | *Eso cae de su peso* | ésso caé de sou pésso |
| Je vous le promets | *Se lo prometo* | sé lo prométo |

## NÉGATIONS ET REFUS

| Non | *No* | no |
|---|---|---|
| Ni | *Ni* | ni |
| Non. Merci bien | *No. Muchas gracias* | no. moutchass graTHïass |
| Jamais | *Nunca. (Jamás)* | nounnka. (RHamass) |
| Ne pas... même | *No... siquiera (ni siquiera)* | no... sikïéra (ni sikïéra) |
| Nulle part | *En ninguna parte* | enn ninngouna parté |
| Pas encore | *Aún no* | aounn no |
| Pas beaucoup | *No mucho* | no moutcho |
| Pas du tout | *En absoluto* | enn absolouto |
| Pas tout à fait | *No del todo* | no dél todo |
| Personne | *Nadie* | nadïé |
| Rien | *Nada* | nada |
| Certainement pas | *Seguro que no (Ni hablar)* | ségouro ké no (ni ablar) |
| Au contraire | *Al contrario (Por el contrario)* | al konntrarïo (por él konntrarïo) |
| Je ne comprends pas | *No entiendo* | no énntïénndo |
| Je ne parle pas l'espagnol | *No hablo español* | no ablo ésspagnol |
| Je ne sais (crois) pas | *No lo sé (creo)* | no lo sé (kréo) |
| C'est impossible | *No es posible* | no éss possiblé |
| Je n'ai pas le temps | *No tengo tiempo* | no ténngo tïémmpo |
| Cela ne me plaît pas | *Eso no me gusta* | ésso no mé goussta |
| Je n'ai pas... | *No tengo...* | no ténngo... |
| Je ne suis pas... | *No soy...* | no soï... |
| J'en doute | *Lo dudo* | lo doudo |

| | | |
|---|---|---|
| Cela n'a pas d'importance | *Eso no importa* | esso no immporta |
| Ce n'est pas vrai | *No es verdad* | no éss bérda |
| Vous vous trompez | *Se equivoca Vd.* | sé ékiboka oussté |

## PRÉPOSITIONS - CONJONCTIONS - ADVERBES

| | | |
|---|---|---|
| A | *A (avec mouvement)* | a |
| | *En (sans mouvement)* | enn |
| A cause de | *Por (A causa de)* | por (a kaoussa dé) |
| A côté de | *Al lado de* | al lado dé |
| A droite | *A la derecha* | a la dérétcha |
| A gauche | *A la izquierda* | a la iTHkiérda |
| Ainsi | *Así* | assi |
| Alors | *Entonces* | enntonnTHéss |
| A peine | *Apenas* | apénass |
| Après | *Después* | désspouéss |
| A propos de | *A propósito de* | a propossito dé |
| Assez | *Bastante* | basstanté |
| A travers | *A través de* | a trabéss dé |
| Au-dessous de | *Debajo de* | débaRHo dé |
| Au-dessus de | *Encima de* | ennTHima dé |
| Au lieu de | *En lugar de* | enn lougar dé |
| Au milieu de | *En medio de* | enn médïo dé |
| Aussi | *También* | tammbiénn |
| Autant | *Tanto* | tannto |
| Autant... que | *Tanto... como* | tannto... komo |
| Avant | *Antes* | anntéss |
| Avec | *Con* | konn |

| Beaucoup | *Mucho* | moutcho |
| Bien | *Bien* | biénn |
| Bientôt | *Pronto* | pronnto |
| Car | *Pues. Que* | pouéss. ké |
| Cependant | *Sin embargo. Con todo* | sinn émmbargo. konn todo |
| Combien | *Cuánto* | kouannto |
| Comme | *Como* | komo |
| Contre | *Contra* | konntra |
| De | *De. Con. Por* | dé. konn. por |
| Debout | *De pie* | dé pié |
| Dedans | *Dentro. Adentro (avec mouvement)* | dénntro. adénntro |
| Dehors | *Fuera. Afuera (avec mouvement)* | fouéra. afouéra |
| Depuis | *Desde* | désdé |
| Derrière | *Detrás de. Tras* | détrass dé. trass |
| Dessus | *Encima. Arriba* | ennTHima. arriba |
| De temps en temps | *De vez en cuando* | dé véTH énn kouanndo |
| Devant | *Ante. Delante de* | annté. délannté dé |
| Donc | *Luego. Pues* | louégo. pouéss |
| Doucement | *Suavemente. Despacio* | souabémennté. désspaTHïo |
| En | *En* | enn |
| En arrière | *Atrás* | atrass |
| En avant | *Adelante* | adélannté |
| En bas | *Abajo* | abaRHo |
| Encore | *Aún. Todavía* | aounn. todabïa |
| En dehors | *Desde fuera. Por fuera* | désdé fouéra. por fouéra |

| En effet | En efecto | enn éfékto |
|---|---|---|
| En face de | En frente de | ennfrénnté dé |
| En hâte | De prisa | dé prissa |
| En haut | Arriba | arriba |
| Entre | Entre | enntré |
| Et | Y | i |
| Heureusement | Afortunadamente | afortounadaménnté |
| Ici | Aquí. Acá | aki. aka |
| Jusque, jusqu'à | Hasta | assta |
| Là | Ahí. Allí. Allá | aï. aLYi. aLYa |
| Là-bas | Allá lejos | aLYa léRHoss |
| Là-haut | Allá arriba | aLYa arriba |
| Loin de | Lejos de | léRHoss dé |
| Longtemps | Mucho tiempo | moutcho tiémmpo |
| Maintenant | Ahora. Ya | aora. ya. |
| Mais | Pero. Mas | péro. mass. |
| Mal | Mal | mal |
| Malgré | A pesar de | a pessar dé |
| Malheureusement | Desgraciadamente | désgraTHïadaménnté |
| Même | Mismo (adjectif). Incluso (adverbe) | missmo. innklousso |
| Moins... que | Menos... que | ménoss... ké |
| Ou | O | o |
| Par | Por | por |
| Parce que | Porque | porké |
| Par ici | Por aquí | por aki |
| Par là | Por ahí | por aï |
| Parmi | Entre | enntré |
| Partout | Por todas partes | por todass partéss |
| Pendant | Durante | dourannté |

| Peu | *Poco* | poko |
| Peut-être | *Quizás. Acaso. Tal vez* | kiTHass. akasso. tal béTH |
| | | |
| Plus | *Más* | mass |
| Plus que | *Más que* | mass ké |
| Plusieurs | *Varios. (Varias)* | barioss (bariass) |
| Plusieurs fois | *Varias veces* | bariass béTHéss |
| Plutôt | *Más bien. Antes* | mass biénn. anntéss |
| Pour | *Para. Por.* | para. por |
| Près | *Cerca* | THérka |
| Presque | *Casi* | kassi |
| Probablement | *Probablemente* | probabléménnté |
| Puis | *Luego. Después* | louégo. désspouéss |
| Quand | *Cuando* | kouanndo |
| Quelquefois | *Alguna vez. A veces* | algouna béTH. a béTHéss |
| | | |
| Quoique | *Aunque. Si bien* | aounnké. si biénn |
| Sans | *Sin* | sinn |
| Si | *Si* | si |
| Sous | *Bajo* | baRHo |
| Souvent | *A menudo* | a menoudo |
| Sur | *Sobre. En* | sobré. enn |
| Tant | *Tanto* | tannto |
| Tant mieux! | *¡ Mejor!* | ¡méRHor! |
| Tant pis! | *¡ que se le va a hacer!* | ¡ké sé lé va a aTHer! |
| Tard | *Tarde* | tardé |
| Très | *Muy* | mouï |
| Trop | *Demasiado* | démassiado |
| Trop peu | *Demasiado poco* | démassiado poko |
| Tôt | *Temprano. Pronto* | témmprano. pronnto |

| Toujours | *Siempre* | siémmpré |
| Tout à fait | *Del todo. Enteramente* | dél todo. enntéra-ménnté |
| Tout de suite | *En seguida. Al instante* | enn seguida. al inns-stannté |
| Vite | *De prisa* | dé prissa |
| Voici | *He aquí. Aquí está* | é aki. aki éssta |
| Vraiment | *De veras. De verdad* | dé bérass. dé bérdad |

## ADJECTIFS DIVERS

| Agréable | *Agradable. Grato* | agradablé. grato |
| Amer | *Amargo* | amargo |
| Amusant | *Divertido* | dibértido |
| Autre | *Otro. Otra (fém.)* | otro. otra |
| Bas | *Bajo* | baRHo |
| Beau | *Bello. Hermoso. Guapo. (personnes)* | béyo. ermosso. gouapo |
|  | *Bonito (animaux et choses)* | bonito |
| Bon | *Bueno* | boueno |
| Bruyant | *Ruidoso* | rouïdosso |
| Capable de | *Capaz de* | kapaTH dé |
| Carré | *Cuadrado* | kouadrado |
| Certain | *Cierto* | THiérto |
| Chaque | *Cada* | kada |
| Chaud | *Caliente. Cálido* | kaliennété. kalido |
| Cher | *Caro* | karo |
| Clair | *Claro* | klaro |

| Comique; drôle | *Cómico ; gracioso* | komico; graTHiosso |
| Compétent | *Competente. Capaz* | kommpéténnté. kapaTH |
| Complet | *Completo* | kommpléto |
| Confortable | *Cómodo. Confortable* | komodo. konnfortablé |
| Content | *Contento* | konnténnto |
| Correct | *Correcto* | korrécto |
| Court | *Corto. Breve* | korto. brébé |
| Cru | *Crudo* | kroudo |
| Cuit | *Cocido* | koTHido |
| Dangereux | *Peligroso* | peligrosso |
| Dernier | *Último* | oultimo |
| Désagréable | *Desagradable* | déssagradablé |
| Différent | *Diferente. Distinto* | diféRénnté. distinnto |
| Difficile | *Difícil* | difiTHil |
| Doux, sucré | *Dulce, azucarado* | doulTHé, aTHoukarado |
| Droit | *Derecho. Recto* | dérétcho. rrékto |
| Dur | *Duro* | douro |
| Efficace | *Eficaz* | eficaTH |
| Égal | *Igual* | igoual |
| Élégant | *Elegante* | elégannté |
| Entier | *Entero* | enntéro |
| Étrange | *Extraño. Raro* | esstragno. rraro |
| Étranger | *Extranjero* | esstrannRHéro |
| Étroit | *Estrecho* | esstrétcho |
| Extérieur | *Exterior* | esstérior |
| Facile | *Fácil* | faTHil |
| Faible | *Débil. Flojo* | débil. floRHo |
| Faux | *Falso* | falsso |

| Fermé | *Cerrado* | thérrado |
| Fort | *Fuerte* | fouérté |
| Frais | *Fresco* | fréssko |
| Froid | *Frío* | frïo |
| Gai | *Alegre* | alégré |
| Général | *General* | RHénéral |
| Glacé | *Helado* | elado |
| Grand | *Grande. Alto* | granndé. alto |
| Gros | *Grueso* | grouésso |
| Haut | *Alto* | alto |
| Honnête | *Honrado* | onnrrado |
| Important | *Importante* | immportannté |
| Impossible | *Imposible* | immpossiblé |
| Imprévu | *Imprevisto* | immprebissto |
| Insuffisant | *Insuficiente* | innssoufiTHiénnté |
| Intelligent | *Inteligente. Listo* | inntéliRHénnté. lissto |
| Interdit | *Prohibido. Vedado* | proïbido. bédado |
| Intéressant | *Interesante* | inntéréssannté |
| Intérieur | *Interior* | inntérïor |
| Inutile | *Inútil. Vano* | inoutil. bano |
| Jeune | *Joven* | RHobénn |
| Joli | *Bonito. Lindo* | bonito. linndo |
| Juste | *Justo.* | RHoussto |
| Laid | *Feo* | féo |
| Large | *Ancho* | anntcho |
| Léger | *Ligero. Leve* | liRHéro. lébé |
| Lent | *Lento* | lénnto |
| Long | *Largo* | largo |
| Lourd | *Pesado* | péssado |
| Magnifique | *Magnífico* | mag'nifiko |

| Maigre | *Flaco* | flako |
| Malade | *Enfermo. Malo* | ennférmo. malo |
| Maladroit | *Torpe* | torpé |
| Mauvais | *Malo* | malo |
| Merveilleux | *Maravilloso* | marabiLYosso |
| Mort | *Muerto* | mouérto |
| Mûr | *Maduro* | madouro |
| Naturel | *Natural* | natoural |
| Nécessaire | *Necesario. Preciso* | néTHéssarïo. préTHisso |
| Nouveau | *Nuevo* | nouébo |
| Obscur | *Oscuro* | osskouro |
| Opposé | *Opuesto* | opouessto |
| Ouvert | *Abierto* | abiérto |
| Passé | *Pasado* | passado |
| Pauvre | *Pobre* | pobré |
| Petit | *Pequeño* | pékégno |
| Pittoresque | *Pintoresco* | pinntoréssko |
| Plat | *Llano. Liso* | LYano. lisso |
| Possible | *Posible* | possiblé |
| Prêt | *Listo. Dispuesto* | lissto. disspouéssto |
| Prochain | *Próximo* | prokssimo |
| Profond | *Hondo. Profundo* | ondo. profounndo |
| Propre | *Limpio. Propio* | limmpio. proprio |
| Prudent | *Prudente* | proudénnté |
| Public | *Público* | poubliko |
| Rapide | *Rápido* | rrapido |
| Rectangulaire | *Rectangular* | rréktanngoular |
| Réel | *Real* | rréal |
| Riche | *Rico* | rriko |

| | | |
|---|---|---|
| Ridicule | *Ridículo* | rridikoulo |
| Rond | *Redondo* | rrédonndo |
| Sale | *Sucio* | souTHio |
| Semblable | *Semejante* | séméRHanté |
| Sensationnel | *Sensacional* | sénnssaTHional |
| Seul | *Solo* | solo |
| Silencieux | *Çallado. Silencioso* | kaLYado. silennTHio-sso |
| Suffisant | *Suficiente* | soufiTHiénnté |
| Tiède | *Tibio. Templado* | tibio. templado |
| Tranquille | *Tranquilo. Quieto* | trannkilo. kiéto |
| Triste | *Triste* | trissté |
| Unique | *Unico* | ounico |
| Utile | *Util* | outil |
| Varié | *Variado* | bariado |
| Vide | *Vacío* | baTHio |
| Vieux | *Viejo* | biéRHo |
| Violent | *Violento* | biolénnto |
| Vrai | *Verdadero* | bérdadéro |

## COULEURS

| | | |
|---|---|---|
| Argent, argenté | *Plata, plateado* | plata, platéado |
| Blanc | *Blanco* | blannko |
| Bleu | *Azul* | aTHoul |
| Blond | *Rubio* | rroubio |
| Brun (terre, étoffe) | *Pardo* | pardo |
| Brun (hâlé) | *Tostado* | tosstado |
| Brun (peau, cheveux) | *Moreno* | moréno |

| Châtain | Castaño | kasstagno |
|---|---|---|
| Clair | Claro | klaro |
| Doré | Dorado | dorado |
| Foncé | Oscuro | osskouro |
| Gris | Gris | griss |
| Ivoire | Marfileño | marfilegno |
| Jaune | Amarillo | amariLYo |
| Marron | Marrón. Castaño | marron. kasstagno |
| Noir | Negro | négro |
| Orange | Naranja | narannRHa |
| Pâle | Pálido | palido |
| Rose | Rosa | rrossa |
| Rouge | Rojo | rroRHo |
| Roux | Rojizo. Pelirrojo | rroRHiTHo. pélirroRHo |
| Vert | Verde | berdé |
| Violet | Morado. Violado | morado. bïolado |

## PARENTÉ

| Je vous présente ma femme | Le presento a mi mujer | lé préssénnto a mi mouRHér |
|---|---|---|
| Mon frère (ma sœur) a trois ans de moins (de plus) que moi | Mi hermano (mi hermana) tiene tres años menos (más) que yo | mi érmano (mi érmana)tiénétréssagnoss ménoss (mass) ké yo |
| Ma fille est née en... | Mi hija nació en... | mi iRHa naTHio énn... |
| Beau-frère, belle-sœur | Cuñado, cuñada | kougnado, kougnada |
| Beau-père, belle-mère | Suegro, suegra | souégro, souégra |
| Bru | Nuera | nouéra |

| Célibataire | *Soltero, soltera* | soltéro, soltéra |
| Cousin (e) | *Primo (a)* | primo (a) |
| Divorcé(e) | *Divorciado (a)* | diborTHïado (a) |
| Épouse | *Esposa* | esspossa |
| Fiancé(e) | *Novio (a)* | nobïo (a) |
| Fils, fille | *Hijo, hija* | iRHO, iRHa |
| Gendre | *Yerno* | yérno |
| Grand-père, grand-mère | *Abuelo, abuela* | abouélo, abouéla |
| Mari | *Marido* | marido |
| Marié, mariée | *Casado, casada* | kassado, kassada |
| Mère, maman | *Madre, mamá* | madré, mama |
| Neveu, nièce | *Sobrino, sobrina* | sobrino, sobrina |
| Petit-fils, petite-fille | *Nieto, (a)* | niéto, (a) |
| Oncle, tante | *Tío, tía* | tío, tía |
| Père, papa | *Padre, papá* | padré, papa |
| Veuf, veuve | *Viudo, viuda* | bïoudo, bïouda |

## LE TEMPS QU'IL FAIT

| Quel temps fait-il? | *¿Qué tal tiempo hace?* | ¿kétaltïemmpo aTHé? |
| Quel temps fera-t-il? | *¿Qué tiempo hará?* | ¿ké tïemmpo ara? |
| Il fait beau (mauvais) temps | *Hace buen (mal) tiempo* | aTHé bouénn (mal) tïemmpo |
| Le temps se gâte | *El tiempo se estropea* | él tïemmpo sé ésstropéa |
| Croyez-vous que nous aurons de la pluie? — de la neige? — de l'orage? | *¿Cree Vd. que tendremos lluvia? — nieve? — tormenta?* | ¿kré oussté ké ténndrémoss LYoubia? — nïébé? tormennta? |

| Il va pleuvoir | Va a llover | ba a LYïobér |
|---|---|---|
| Avez-vous un parapluie? | ¿ Tiene Vd. un paraguas? | ¿tiéné oussté ounn paragouas? |
| Il pleut (à verse) | Llueve (a chuzos) | LYouébé (a tchouTHoss) |
| La pluie cesse | Escampa | esskammpa |
| Il tombe de la grêle | Está granizando | essta graniTHanndo |
| Il neige; la neige | Nieva; la nieve | niéba; la nïébé |
| Il gèle | Hiela | yéla |
| Il y a du brouillard | Hay niebla | aï nïébla |
| Le vent se lève | Se levanta el viento | sé lébannta él bïénnto |
| Le vent est frais | El viento está fresco | él bïénnto éssta fréssko |
| Il y a de l'orage dans l'air | Se avecina tormenta | sé abéTHina tormennta |
| Il y a des éclairs | Está relampagueando | essta rélammpagueanndo |
| Il tonne | Truena | trouéna |
| Il fait frais (très), froid | Hace fresco (mucho), frío | aTHé fréssko (moutcho) frío |
| Il fait (très) chaud | Hace (mucho) calor | aTHé (moutcho) kalor |
| Il fait trop chaud | Hace demasiado calor | aTHé démassïado kalor |
| Il n'y a pas d'air | No hay aire | no aï aïré |
| Le temps est humide (sec, lourd) | El tiempo está húmedo (seco, pesado) | él tïémmpo essta oumédo (séko, péssado) |
| Il y a cinq, dix, vingt degrés au-dessus (au-dessous) de zéro | Estamos a cinco, diez, veinte grados sobre (bajo) cero | esstamoss a THinnko, dïeTH, béïnnté gradoss sobré (baRHo) THéro |

## LA DIVISION DU TEMPS : GÉNÉRALITÉS

| | | |
|---|---|---|
| Aujourd'hui | *Hoy* | oï |
| Le matin, la matinée | *La mañana* | la magnana |
| L'après-midi | *La tarde* | la tardé |
| Le soir, la soirée | *La noche* | la notché |
| (Avant)-hier | *(Ante) ayer* | (annté) ayér |
| (Après)-demain | *(Pasado) mañana* | (passado) magnana |
| (L'avant)-veille | *La (ante) víspera* | la (ante) bisspéra |
| Le lendemain | *El (al) día siguiente* | él (al) dïa siguiénnté |
| Le surlendemain | *Dos días después* | doss dïass désspouéss |
| Le jour | *El día* | él dïa |
| La journée | *El día. La jornada* | él dïa. la RHornada |
| La nuit | *La noche* | la notché |
| La semaine | *La semana* | la sémana |
| Le mois | *El mes* | él méss |
| L'année | *El año* | él agno |
| Ce matin | *Esta mañana* | essta magnana |
| Ce soir | *Esta tarde. Esta noche* | essta tardé. essta notché |
| Le vingtième siècle | *El siglo veinte* | él siglo béïnnté |
| La semaine dernière | *La semana pasada* | la sémana passada |
| La semaine prochaine | *La semana que viene* | la sémana ké biéné |
| Il y a huit jours | *Hace ocho días* | aTHé otcho dïass |
| Dans huit jours | *Dentro de ocho días* | dénntro dé otcho dïass |
| De demain en huit | *De mañana en ocho días* | dé magnana énn otcho dïass |
| Il y a deux semaines | *Hace dos semanas* | aTHé doss sémanass |
| Dans deux semaines | *Dentro de dos semanas* | dénntro dé doss sémanass |

| | | |
|---|---|---|
| Le mois dernier; le mois prochain | *El mes pasado; el mes que viene* | él méss passado; él méss ké bïéné |
| L'année dernière; l'année prochaine | *El año pasado; el año que viene* | él agno passado; él año ké bïéné |
| Un trimestre (semestre) | *Un trimestre (semestre)* | ounn trimésstré (sémesstré) |
| L'année bissextile | *El año bisiesto* | él agno bissiéssto |
| Un siècle | *Un siglo* | ounn siglo |

## L'HEURE

| | | |
|---|---|---|
| L'heure | *La hora* | la ora |
| La minute | *El minuto* | él minouto |
| La seconde | *El segundo* | él ségounndo |
| Un chronomètre | *Un cronómetro* | ounn kronométro |
| La pendule | *El reloj de pared* | él rrélo dé paré |
| L'horloge | *El reloj de torre* | él rrélo dé torré |
| La grande aiguille | *El minutero* | él minoutéro |
| La petite aiguille | *La aguja horaria* | la agouRHa orarïa |
| L'aiguille des secondes | *El segundero* | él ségounndéro |
| Quelle heure est-il? | *¿Qué hora es?* | ¿ké ora éss? |
| Il est cinq (dix) heures | *Son las cinco (diez)* | sonn lass THinnko (diéTH) |
| Il est treize heures (une heure de l'après-midi) | *Son las trece (la una de la tarde)* | sonn lass tréTHé (la ouna dé la tardé) |
| Il est vingt heures (huit heures du soir) | *Son las veinte (las ocho de la noche)* | sonn lass béïnnté (lass otcho dé la notché) |
| Il est une heure et quart | *Es la una y cuarto* | ess la ouna i kouarto |

| Il est : | Son : | sonn : |
|---|---|---|
| deux heures et demie | las dos y media | lass doss i média |
| quatre heures moins le quart | las cuatro menos cuarto | lass kouatro ménoss kouarto |
| quatre heures dix | las cuatro y diez | lass kouatro i diéTH |
| six heures moins vingt-cinq | las seis menos veinti-cinco | lass séïss ménoss béïnntiTHinnko |
| Il va être sept heures | Van a dar las siete | bann a dar lass siété |
| Il est huit heures pré-cises | Son las ocho en punto | sonn lass otcho énn pounnto |
| Est-ce l'heure exacte? | ¿Es la hora exacta? | ¿ess la ora ékssacta? |
| Votre montre avance | Su reloj adelanta | sou rrélo adélannta |
| Elle retarde de deux minutes | Atrasa dos minutos | atrassa doss minoutoss |
| J'avance de cinq mi-nutes | Adelanto cinco minutos | adelannto THinnko minoutoss |
| Ma montre est arrêtée | Mi reloj está parado | mi rrélo essta parado |
| Il est tôt (tard) | Es temprano (tarde) | ess témmprano (tardé) |
| Il est midi | Es mediodía | ess médiodïa |
| Il est minuit | Es medianoche | ess médïanotché |
| Une demi-heure | Media hora | médïa ora |
| Un quart d'heure | Un cuarto de hora | ounn kouarto dé ora |

## LES JOURS - LES FÊTES

| Lundi | Lunes | lounéss |
|---|---|---|
| Mardi | Martes | martéss |
| Mercredi | Miércoles | miérkoléss |
| Jeudi | Jueves | RHouébéss |
| Vendredi | Viernes | bïernéss |

| Samedi | Sábado | sabado |
|---|---|---|
| Dimanche | Domingo | dominngo |
| Les jours fériés | Los días festivos | loss dïass fésstiboss |
| Le Jour de l'An | El Día de Año Nuevo | él dïa dé agno nouébo |
| Pâques | Pascua de Resurrección | passkoua de rréssourrékTHïonn |
| Le lundi de Pâques | El lunes de Pascua florida | él lounéss dé passkoua florida |
| Le Carême | La Cuaresma | la kouaréssma |
| L'Ascension | La Ascensión | la assTHénnssionn |
| La Pentecôte | Pascua de Pentecostés | passkoua dé penntekosstess |
| Le Jour des morts | El día de Difuntos | él dïa dé difounntoss |
| La Toussaint | Todos los Santos | todoss loss sanntoss |
| Noël | La Navidad | la nabida |

## LES SAISONS ET LES MOIS

| La saison | La estación | la ésstaTHionn |
|---|---|---|
| Le printemps | La primavera | la primabéra |
| L'été | El verano | él bérano |
| L'automne | El otoño | él otogno |
| L'hiver | El invierno | él innbïérno |
| Le mois | El mes | él méss |
| Janvier | Enero | enéro |
| Février | Febrero | fébréro |
| Mars | Marzo | marTHo |
| Avril | Abril | abril |
| Mai | Mayo | mayo |

| Juin | *Junio* | RH**ou**nïo |
| Juillet | *Julio* | RH**ou**lïo |
| Août | *Agosto* | ag**o**ssto |
| Septembre | *Septiembre* | séptï**é**mmbré |
| Octobre | *Octubre* | okt**ou**bré |
| Novembre | *Noviembre* | nobï**é**mmbré |
| Décembre | *Diciembre* | diTHï**é**mmbré |

## LES POINTS CARDINAUX

| Le Nord | *El Norte* | él n**o**rté |
| Le Sud | *El Sur* | él sour |
| L'Est | *El Este* | él **e**ssté |
| L'Ouest | *El Oeste* | él o**é**ssté |
| Le Nord-Est | *El Noreste* | él nor**é**ssté |
| Le Nord-Ouest | *El Noroeste* | él noro**é**ssté |
| Le Sud-Ouest | *El Sudoeste* | él soudo**é**ssté |
| Le Sud-Est | *El Sudeste* | él soud**é**ssté |

## NUMÉRATION ET MESURES : LES NUMÉRAUX

| Un ; premier | *Uno ; primero* | **ou**no ; prim**é**ro |
| Deux ; deuxième | *Dos ; segundo* | d**o**ss ; ség**ou**nndo |
| Trois ; troisième | *Tres ; tercero* | tr**é**ss ; térTH**é**ro |
| Quatre ; quatrième | *Cuatro ; cuarto* | kou**a**tro ; kou**a**rto |
| Cinq ; cinquième | *Cinco ; quinto* | TH**i**nnko ; k**i**nnto |
| Six ; sixième | *Seis ; sexto* | s**é**ïss ; s**é**ssto |
| Sept ; septième | *Siete ; séptimo* | si**é**té ; s**é**ptimo |

| Huit; huitième | Ocho; octavo | otcho; oktabo |
| Neuf; neuvième | Nueve; noveno | nouébé; nobéno |
| Dix; dixième | Diez; décimo | dïéTH; déTHimo |
| Onze; onzième | Once; undécimo | onnTHé; ounndéTHimo |
| Douze; douzième | Doce; duodécimo | doTHé; douodéTHimo |
| Treize; treizième | Trece; decimotercero | tréTHé; déTHimotérTHéro |
| Quatorze; quatorzième | Catorce; decimocuarto | katorTHe; déTHimokouarto |
| Quinze; quinzième | Quince; decimoquinto | kinnTHé; déTHimokinnto |
| Seize; seizième | Diez y seis; décimo sexto | dïéTH i séïss; déTHimoséssto |
| Dix-sept; dix-septième | Diez y siete; décimoséptimo | dïéTH i siété; déTHimoséptimo |
| Dix-huit; dix-huitième | Diez y ocho; décimooctavo | dïéTH i otcho; déTHimooktabo |
| Dix-neuf; dix-neuvième | Diez y nueve; décimonono | dïéTH i nouébé; déTHimo nono |
| Vingt; vingtième | Veinte; vigésimo | béïnnté; biRHéssimo |
| Vingt et un; vingt et unième | Veintiuno; vigésimo primero | béïnntïouno; bïRHéssimo priméro |
| Trente; trentième | Treinta; trigésimo | tréïnta; triRHéssimo |
| Quarante; quarantième | Cuarenta; cuadragésimo | kouarénnta; kouadraRHéssimo |
| Cinquante; cinquantième | Cincuenta; quincuagésimo | THinnkouénnta; kinnkouaRHéssimo |
| Soixante; soixantième | Sesenta; sexagésimo | séssénnta; sekssaRHéssimo |

| | | |
|---|---|---|
| Soixante-dix; soixante-dixième | *Setenta; septuagésimo* | séténnta; séptouaRHéssimo |
| Quatre-vingts; quatre-vingtième | *Ochenta; octogésimo* | otchénnta; oktoRHéssimo |
| Quatre-vingt-dix; quatre-vingt-dixième | *Noventa; nonagésimo* | nobénnta; nonaRHéssimo |
| Cent; centième | *Ciento; centésimo* | THïénnto; THénntéssimo |
| Cent un; cent unième | *Ciento uno; centésimo primero* | THïénnto **ou**no; THénntéssimo priméro |
| Cent deux; cent deuxième | *Ciento dos; centésimo segundo* | THïénnto doss; THénntéssimo ségounndo |
| Mille; millième | *Mil; milésimo* | mil; miléssimo |
| Million; millionième | *Millón; millonésimo* | miLYonn; miLYonéssimo |
| Milliard | *Mil millones* | mil miLYonéss |
| Un millier | *Un millar* | ounn miLYar |
| Des milliers | *Miles* | miléss |
| L'avant-dernier | *El penúltimo* | él pénoultimo |
| Le dernier | *El último* | él oultimo |

## FRACTIONS ET MULTIPLES

| | | |
|---|---|---|
| La moitié | *La mitad* | la mita |
| Le tiers | *El tercio. La tercera parte* | él térTHïo. la térTHéra parté |
| Le quart | *El cuarto. La cuarta parte* | él kouarto. la kouarta parté |
| Le cinquième | *La quinta parte* | la kinnta parté |

| Le sixième | *La sexta parte* | la séssta parté |
| Le septième | *La séptima parte* | la séptima parté |
| Le double | *El doble* | él doblé |
| Le triple | *El triple* | él triplé |
| Deux (trois) fois | *Dos (tres) veces* | doss (tréss) beTHess |
| Une dizaine, vingtaine | *Una decena, veintena* | ouna déTHéna, béïnnténa |
| Une trentaine | *Una treintena* | ouna tréïnnténa |
| Une centaine | *Una centena. Un centenar* | ounaTHénnténa.ounn THénnténar |
| Une demi-douzaine | *Media docena* | média doTHéna |
| Une douzaine | *Una docena* | ouna doTHéna |

## UNITÉS DE MESURE

| Un kilomètre | *Un kilómetro* | ounn kilométro |
| Un mètre | *Un metro* | ounn métro |
| Un décimètre | *Un decímetro* | ounn déTHimétro |
| Un centimètre | *Un centímetro* | ounn THénntimétro |
| Un millimètre | *Un milímetro* | ounn milimetro |
| Un kilogramme | *Un kilogramo* | ounn kilogramo |
| Un kilo; une livre | *Un kilo; una libra* | ounn kilo; ouna libra |
| Cent grammes; un hectogramme | *Cien gramos; un hectogramo* | THïénn gramoss;ounn éktogramo |
| Un gramme | *Un gramo* | ounn gramo |
| Une tonne | *Una tonelada* | ouna tonélada |
| Un quintal | *Un quintal* | ounn quinntal |
| Un litre | *Un litro* | ounn litro |
| Un degré | *Un grado* | ounn grado |

| Un watt | *Un vatio* | ounn batïo |
| Un volt | *Un voltio* | ounn boltïo |
| Le mètre carré, - cube | *El metro cuadrado,* *cúbico* | él métro kouadrado, - koubiko |

# LA MONNAIE

L'unité monétaire espagnole est la peseta.
Monnaies de compte traditionnelles : real = 25 centimes ; duro = 5 pesetas.

| L'argent | *La plata;* (métal); *el* *dinero* (monnaie) | la plata ; él dinéro |
| Le billet | *El billete* | él biLYété |
| Le franc | *El franco* | él frannko |
| La monnaie à rendre | *La vuelta* | la bouélta |
| La menue monnaie | *La calderilla* | la kaldériLYa |
| La pièce de monnaie | *La moneda* | la monéda |

# LE VOYAGE ET LA CIRCULATION

## POLICE ET DOUANE

(voir aussi " Change " p. 56)

---

### FICHE D'IDENTITÉ

*Apellido* : nom de famille
*Cabellos* : cheveux
*Dirección* : adresse
*Edad* : âge
*Estado civil* : état civil
*Fecha y lugar de nacimiento* : date et lieu de naissance
*Nacionalidad* : nationalité

*Nariz* : nez
*Nombre de pila* : prénom
*Ojos* : yeux
*Profesión* : profession
*Señas* : signalement
*Signos particulares* : signes particuliers
*Talla* : taille

---

| | | |
|---|---|---|
| Est-ce que nous sommes déjà à la frontière? | *¿Ya estamos en la frontera?* | ¡ya ésstamoss énn la frontéra? |
| Où se trouve la douane? | *¿Dónde se encuentra la aduana?* | ¿donndé sé énnkouénntra la adouana? |
| Voici nos passeports | *He aquí nuestros pasaportes* | é aki nouésstross passaportéss |
| Nous sommes quatre | *Somos cuatro* | somoss kouatro |
| Je n'ai rien à déclarer | *No tengo nada que declarar* | no ténngo nada ké déklarar |

| | | |
|---|---|---|
| J'ai deux bouteilles de vin et une boîte de cigares | *Tengo dos botellas de vino y una caja de puros* | ténngo doss botéLYass de bino i ouna caRHa dé pourross |
| J'ai deux flacons de parfum. C'est un cadeau | *Tengo dos frascos de perfume. Es un regalo* | ténngo doss frasskoss dé perfoumé. ess ounn rrégalo |
| Voici mes bagages | *Aquí tiene mi equipaje* | aki tiéné mi ékipaRHé |
| C'est tout | *Ya está* | ya essta |
| C'est fini? Est-ce que je peux partir? | *¿Ha terminado? ¿Puedo marcharme?* | ¿a términado? ¿pouédo martcharmé? |

# L'AUTO : LA ROUTE — LES SIGNAUX

## VOCABULAIRE A L'USAGE DES AUTOMOBILISTES

*Autopista de peaje* : autoroute à péage
*Bajada* : descente
*Caída de piedras* : chute de pierres
*Carretera cortada* : route barrée
*¡Cuidado con el tren!* : attention au train!
*Curva peligrosa* : virage dangereux
*Derecha* : droite
*Desviación* : déviation
*Dirección prohibida* : sens interdit
*Dirección única* : sens unique
*Escuela* : école
*Fin de limitación de velocidad* : fin de limitation de vitesse
*Fin de prohibición de adelantar* : fin d'interdiction de dépasser
*Hospital* : hôpital
*Ir por la derecha* : tenir sa droite
*Izquierda* : gauche

*Obras* : travaux
*¡Ojo! ¡Corrimiento de tierras!* : attention, éboulements!
*Ondulaciones* : chaussée déformée
*Paso a nivel* : passage à niveau
*Paso a nivel sin guarda* : passage à niveau non gardé
*Paso de peatones* : passage pour piétons
*Peligro* : danger
*Peligroso* : dangereux
*Prioridad a la derecha* : priorité à droite
*Prohibido* : interdit
*Prohibido aparcar* : stationnement interdit
*Semáforo* : feux tricolores
*Se prohibe adelantar* : défense de dépasser
*Velocidad limitada* : vitesse limitée

| | | |
|---|---|---|
| Pardon, monsieur, à quelle distance suis-je de...? | Vd. perdone. ¿A qué distancia estoy de...? | oussté pérdoné ¿ a ké disstannTHïa éss-toï dé...? |
| Est-ce la route de...? | ¿Es esta la carrerera de...? | ¿ess éssta la karrétéra dé...? |
| Quel est le chemin le plus court pour aller à...? | ¿Cuál es el trayecto más corto para ir a...? | ¿koual éss él trayékto mass korto para ir a...? |
| Où dois-je tourner? | ¿Dónde he de torcer? | ¿donndé é détorTHér? |
| A droite ou à gauche? | ¿A la derecha o a la izquierda? | ¿a la dérétcha o a la iTHkïerda? |
| La route est-elle bonne? | ¿Es buena la carretera? | ¿ess bouéna la karré-téra? |
| Y a-t-il un hôtel (un motel, une auberge de la jeunesse, un relais) à proximité? | ¿Hay por aquí un hotel, (un motel, un albergue de juventud, un parador)? | ¿aï por aki ounn otél, (ounn motél, ounn al-bérgué dé RHoubén-ntou, ounn para-dor)? |
| Où pourrai-je déjeu-ner? | ¿Dónde podré almor-zar? | ¿donndé podré almor-THar? |
| Y a-t-il un garage (un poste d'essence) près d'ici? | ¿Hay un garage (un surtidor de gasolina) cerca de aquí? | ¿aï ounn garaRHé (ounn sourtidor dé gassolina) THérka dé aki? |
| Je suis en panne. Où pourrai-je trouver un mécanicien? | Tengo una avería. ¿Dónde podré encon-trar a un mecánico? | ténngo ouna abérïa ¿donndé podré énn-konntrar a ounn mékaniko? |
| Je suis en panne d'es-sence | Estoy sin gasolina | esstoï sinn gassolina |

| | | |
|---|---|---|
| Pouvez-vous m'aider à changer cette roue? (me prêter un cric?) | ¿Puede Vd. ayudarme a cambiar esta rueda? (prestarme un gato?) | ¿pouédé oussté ayoudarmé a kammbïar éssta rrouéda? (présstarmé ounn gato?) |
| Voulez-vous prévenir la police? | ¿Quiere Vd. avisar a la policía? | ¿kïéré oussté abissar a la poliTHïa? |
| Téléphonez à... | Telefonee a... | téléfoné a... |
| Où puis-je trouver de l'eau pour ma voiture? | ¿Dónde puedo encontrar agua para el coche? | ¿donndé pouédo énnkonntrar agoua para él kotché? |
| Le bord de la route | El borde de la carretera | él bordé dé la karrétéra |
| Le carrefour | La encrucijada | la ennkrouTHiRHada |
| Le croisement | El cruce | él krouTHé |
| Le fossé | La cuneta | la kounéta |
| Le péage | El peaje | él péaRHé |
| Le pont | El puente | él pouénnté |
| Le poteau indicateur | El poste indicador | él possté inndikador |
| La reprise | La « reprise ». La acelerada | la « rrépriss ». la aTHélérada |
| La route | La carretera | la karrétéra |

## LA STATION — SERVICE

| | | |
|---|---|---|
| Donnez-moi trente litres d'essence | Déme treinta litros de gasolina, por favor | démé tréïnnta litross dé gassolina, por fabor |
| Faites-moi le plein de super | Lléneme el depósito de « super » | LYénémé él dépossito dé « soupér » |

| | | |
|---|---|---|
| Pouvez-vous vérifier l'eau et l'huile? La pression des pneus? | *¿Puede Vd. comprobar el agua y el aceite? ¿La presión de los neumáticos?* | ¿pouédé ousté komm-probar él agoua i él aTHéïté?¿ la pré-ssion dé los néouma-tikoss? |
| Je voudrais un bidon d'huile | *Desearía un bidón (una lata) de aceite* | désséaria ounn bidonn (ouna lata) dé aTHéïté |
| Combien coûtera la réparation? | *¿Cuánto costará la repa-ración?* | ¿kouannto kosstara la rréparaTHïonn? |
| Ce pneu est à réparer | *Hay que reparar este neumático* | aï ké rréparar éssté néoumatiko |
| Quel est le prix du ga-rage par nuit? | *¿Cuánto cuesta por no-che el garage?* | ¿kouannto kouéssta por notché él ga-raRHé? |
| Je demande un lavage et un graissage | *Quiero que me haga un lavado y un engrase* | kiéro ké mé aga ounn labado i ounn énn-grassé |
| Pouvez-vous me faire une révision com-plète pour demain? | *¿Puede Vd. hacerme una revisión completa del coche para mañana?* | ¿pouédé ousté aTHérmé ouna rré-bissionn kommplé-ta dél kotché para magnana? |
| Veuillez vidanger l'huile | *Cámbieme el aceite, por favor* | kammbïémé él aTHéïté, por fabor |
| Les phares ne fonc-tionnent pas bien | *No funcionan bien los faros* | no founnTHïonann biénn loss faross |
| La batterie est à plat | *La batería está descar-gada* | la batéria éssta déss-kargada |

| | | |
|---|---|---|
| Avez-vous des pièces de rechange pour cette voiture? | *¿Tiene Vd. recambios para este coche?* | ¿tïéné oussté rré-kammbïoss para éssté kotché? |
| Le moteur chauffe trop | *El motor calienta demasiado* | él motor kaliénnta démasiado |
| Le radiateur fuit | *Gotea (se sale) el radiador* | gotéa (sé salé) él radïador |
| Pouvez-vous vérifier les freins? | *¿Puede Vd. comprobar los frenos?* | ¿pouédé oussté kommprobar loss frénoss? |
| Le moteur a calé | *El motor se ha calado* | él motor sé a kalado |
| Quand sera-t-elle prête? | *¿Cuándo estará terminado?* | ¿kouanndo ésstara términado? |

## LOCATION DE VOITURES

| | | |
|---|---|---|
| Je voudrais louer une voiture pour deux jours | *Quisiera alquilar un coche por dos días* | kissïéra alkilar ounn kotché por doss dïass |
| Combien cela coûte-t-il par jour? | *¿Cuánto es por día?* | ¿kouannto éss por dïa? |
| L'essence est-elle comprise? | *¿Está incluida la gasolina?* | ¿essta innklouïda la gassolina? |
| Dois-je laisser une caution? | *¿Tengo que dejar una fianza?* | ¿ténngo ké déRHar ouna fianTHa? |
| Je voudrais une voiture avec (sans) chauffeur | *Quisiera un coche con (sin) chófer* | kissïéra ounn kotché konn (sinn) tchofér |

| Je voudrais une voiture de petite (grosse) cylindrée | Quisiera un coche de pequeña (gran) cilindrada | kïssïéra ounn kotché dé pékégna (grann) THilinndrada |
| Voici mon permis de conduire | Aquí tiene mi carnet de conducir | aki tiéné mi karné dé konndouTHir |

## EN CAS D'ACCIDENT

| J'ai dérapé à cause de la pluie (du gravillon) | Derrapé debido a la lluvia (gravilla) | dérrapé débido a la LYoubïa (grabiLYa) |
| J'ai fait un écart pour éviter un cycliste (un piéton, une voiture) | Me eché a un lado para evitar a un ciclista (un peatón, un coche) | mé étché a ounn lado para ébitar a ounn THiklissta (ounn péatonn, ounn kotché) |
| Les phares m'ont ébloui | Los faros me han deslumbrado | loss faross mé ann déssloumbrado |
| Il a traversé la route à l'improviste | Cruzó la carretera de improviso | krouTHo la karrétéra dé improbisso |
| Je tenais ma droite | Llevaba mi derecha | LYébaba mi dérétcha |
| Il circulait au milieu de la route | Rodaba por el centro (medio) de la carretera | rrodaba por él THénntro (médïo) dé la karrétéra |
| Il y a plusieurs témoins | Hay varios testigos | aï barioss tésstigoss |
| Il y a des blessés | Hay heridos | aï éridoss |
| J'ai besoin d'un médecin | Necesito un médico | néTHéssito ounn médiko |
| Où puis-je téléphoner ? | ¿Dónde puedo telefonear? | ¿donndé pouédo téléfonéar? |

| Français | Espagnol | Prononciation |
|---|---|---|
| L'agent de police | El guardia | él gouardïa |
| L'ambulance | La ambulancia | la ammboulannTHïa |
| Une amende | Una multa | ouna moulta |
| Une blessure | Una herida | ouna érida |
| Ma (votre) compagnie d'assurances, le numéro de la police, la carte grise | Mi (su) compañía de seguros, el número de la póliza, la patente | mi (sou) kommpagnïa dé ségouros, él nouméro dé la poliTHa, la paténnté |
| La carte verte | El carnet verde | él karné bérdé |
| Dommages matériels | Daños materiales | dagnoss matérïaléss |
| Excès de vitesse | Exceso de velocidad | essTHésso dé béloTHida |
| La police de la route | La policía de tráfico | la poliTHïa dé trafiko |
| La priorité | La preferencia | la préférénnTHïa |
| Responsabilité | Responsabilidad | rréssponnssabilida |

# L'AVION — A L'AGENCE — A L'AÉROPORT

## VOCABULAIRE DE L'AÉROPORT

*Aduana* : douane
*Aeropuerto* : aéroport
*Cambio* : change
*Consigna* : consigne
*Control de pasaportes* : contrôle des passeports
*Entrada prohibida* : entrée interdite

*Equipaje* : bagages
*Exceso de equipaje* : excédent de bagages
*Informaciones* : renseignements
*Puerta n°...* : porte n°...
*Sala de espera* : salle d'attente
*Vuelo n°...* : vol n°...

| | | |
|---|---|---|
| Quand part le premier avion pour...? | ¿Cuándo sale el primer avión para...? | ¿kouanndo salé él primér abïonn para...? |
| A quelle heure dois-je être à l'aéroport? | ¿A qué hora tengo que estar en el aeropuerto? | ¿a ké ora ténngo ké ésstar énn aéropouérto? |
| Je voudrais retenir une place en première classe (classe touriste) | Quisiera reservar un asiento de primera clase (clase turista) | kissiéra rrésérbar ounn assiénnto dé priméra classé (classé tourissta) |
| Je voudrais un horaire | Quisiera un horario | kissiéra ounn orarïo |
| L'aéroport est-il loin de la ville? | ¿Está lejos de la ciudad el aeropuerto? | ¿essta léRHoss dé la THïouda él aéropouérto? |
| A quelle heure part (arrive) l'avion? | ¿A qué hora sale (llega) el avión? | ¿a ké ora salé (LYéga) él abïonn ? |
| Y a-t-il un autobus entre la ville et l'aéroport? | ¿Hay un autobús entre la ciudad y el aeropuerto? | ¿aï ounn aoutobouss énntré la THïouda y él aéropouérto? |
| Faut-il payer un supplément ? | ¿Hay que pagar algún suplemento? | ¿aï ké pagar algounn souplém> énnto? |
| Le vol pour... (en provenance de...) est-il en retard ? | ¿Trae retraso el vuelo para... (procedente de...) ? | ¿traé rrétrasso él abïonn para... (proTHédénnté dé...)? |
| Où dois-je faire enregistrer mes bagages? | ¿Dónde tengo que facturar mi equipaje? | ¿donndé ténngo ké faktourar mi ékipaRHé? |
| Quel est le poids maximum autorisé des bagages? | ¿Cuál es el peso máximo de equipaje que se autoriza? | ¿koual éss él pésso makssimo dé ékipaRHé ké sé aoutoriTHa? |

| | | |
|---|---|---|
| Où se trouvent les bureaux de la compagnie? | *¿Dónde están las oficinas de la compañía?* | ¿donndé ésstann lass ofiTHinass dé la kommpagnïa? |
| Par quelle porte nous embarquons-nous? | *¿Por qué puerta nos embarcamos?* | ¿por ké pouérta noss émmbarkamoss? |
| Quelle est l'heure exacte de l'embarquement? | *¿Cuál es la hora exacta del embarque?* | ¿koual éss la ora ékssakta dél émmbarke? |
| Où retire-t-on les bagages? | *¿Dónde se recoge el equipaje?* | ¿donnde sé rrékoRHé él ékipaRHé? |

## DANS L'AVION

| | | |
|---|---|---|
| A quelle altitude sommes-nous? | *¿A qué altitud estamos?* | ¿a ké altitou éssta-moss? |
| Quelle est la vitesse de l'avion? | *¿Cuál es la velocidad del avión?* | ¿koual éss la bélo-THida dél abïonn? |
| A quelle heure l'atterrissage aura-t-il lieu? | *¿A qué hora tendrá lugar el aterrizaje?* | ¿a ké ora ténndra lou-gar él atérriTHa-RHé? |
| Je voudrais un journal espagnol | *Quisiera un periódico español* | kissïéra ounn pérïo-diko ésspagnol |
| Le déjeuner est-il servi à bord? | *¿Se sirve a bordo el almuerzo?* | ¿sé sirbé a bordo él almouérTHo? |
| L'atterrissage | *El aterrizaje* | él atérriTHaRHé |
| Le commandant de bord | *El comandante de a bordo* | él komanndannte de a bordo |
| Le copilote | *El copiloto* | él kopiloto |
| Le décollage | *El despegue* | él désspegué |
| L'hélicoptère | *El helicóptero* | él élikoptéro |

| | | |
|---|---|---|
| L'hôtesse | *La aeromoza. La azafata* | la aéromoTHa.  la aTHafata |
| Le hublot | *La ventanilla* | la benntaniLYa |
| Le pilote | *El piloto* | él piloto |
| Le steward | *El camarero. El steward* | él kamaréro.  él stïouard |

## LE BATEAU : A L'AGENCE — AU PORT

Où se trouvent les bureaux de la compagnie maritime?

*¿Dónde están las oficinas de la compañía marítima?*

¿donndé ésstann lass ofiTHinass dé la kommpagnïa maritima?

Quand part le bateau pour les Canaries?

*¿Cuándo sale el barco para Canarias?*

¿kouanndo salé él barko para kanarïass?

Quand arrive le bateau venant des Baléares?

*¿Cuándo llega el barco que viene de las islas Baleares?*

¿kouanndo LYéga él barko ké bïéné dé lass isslass baléaréss?

Quels sont les prochains jours de départ?

*¿Cuáles son los próximos días de salida?*

¿koualéss sonn loss prokssimoss dïass dé salida?

Combien coûte un billet en 1ʳᵉ classe (seconde, troisième, touriste, pont) pour...?

*¿Cuánto vale un billete en primera (segunda, tercera, turista, cubierta) para...?*

¿kouannto balé ounn biLYété énn priméra (ségounnda, térTHéra, tourista, koubierta) para...?

| Puis-je avoir une cabine avec un seul lit? | ¿Puedo tener un camarote con una sola cama? | ¿pouédo ténér ounn kamaroté konn sola kama? |
| Combien de temps dure la traversée? | ¿Cuánto tiempo dura la travesía? | ¿kouannto tiémmpo doura la trabéssïa? |
| D'où part le bateau? | ¿De dónde sale el barco? | ¿dé donnde salé él barko? |
| Puis-je avoir une cabine sur le pont? | ¿Puedo tener un camarote sobre cubierta? | ¿pouédo ténér ounn kamaroté sobré koubïérta? |
| Y a-t-il un supplément à payer? | ¿Hay que pagar (abonar) algún suplemento? | ¿aï ké pagar (abonar) algounn soupléménnto? |

## SUR LE BATEAU

| Pouvez-vous m'indiquer ma cabine, s'il vous plaît? | ¿Puede V. indicarme mi camarote, por favor? | ¿pouédé oussté inndikarmé mi kamaroté por fabor? |
| Quelle est la prochaine escale? | ¿Cuál es la próxima escala? | ¿koual éss la prokssima eskala? |
| La mer est calme; agitée; démontée | El mar está tranquilo; picado; revuelto | él mar éssta trannkilo; pikado; rrébouélto |
| Je ne me sens pas bien | No me siento bien | no mé sïennto bïénn |
| J'ai le mal de mer | Me mareo | mé maréo |
| A quelle heure repartons-nous? | ¿A qué hora volvemos a salir? | ¿a ké ora bolbémos a salir? |
| Bâbord. Tribord | Babor. Estribor | babor. esstribor |
| La bouée | La boya | la boya |
| La cabine | El camarote. La cabina | él kamaroté. la kabina |

| | | |
|---|---|---|
| Le capitaine (second) | *El capitán (segundo)* | él kapitann (ségounndo) |
| La ceinture de sauvetage | *El cinturón salvavidas* | él THinntouronn salbabidass |
| Le commissaire | *El comisario* | él komissario |
| Le débarquement | *El desembarco* | él déssémmbarko |
| L'embarcadère | *El embarcadero* | él émmbarkadéro |
| L'embarquement | *El embarque* | él émmbarké |
| Le marin | *Marino. Marinero* | marino. marinéro |
| Le mille marin | *La milla marina* | la milYa marina |
| Le nœud | *El nudo* | él noudo |
| Le passager | *El pasajero* | él passRHéro |

## LE CHEMIN DE FER : A LA GARE

### GARES ET TRAINS : VOCABULAIRE

*Andén* : quai
*Billete de ida y vuelta* : billet aller et retour
*Cambio* : change
*Coche restaurante* : wagon-restaurant
*Consigna* : consigne
*Entrada* : entrée
*Equipaje* : bagages
*Estación* : gare
*Fumadores* : fumeurs

*Informaciones* : renseignements
*Libre* : libre
*No fumadores* : non fumeurs
*Ocupado* : occupé
*Reserva de habitaciones* : réservation de chambres;
*Sala de espera* : salle d'attente
*Salida* : sortie
*Vía* : voie
*Entrada prohibida* : entrée interdite

| | | |
|---|---|---|
| Pouvez-vous m'indiquer la gare, s'il vous plaît ? | *¿Puede V. indicarme la estación, por favor?* | ¡pouédé oussté inndikarmé la esstaTHïonn, por fabor? |
| Où prend-on les billets ? | *¿Dónde se sacan los billetes?* | ¿donndé sé sakann loss biLYétess? |
| Où se trouve le bureau de renseignements ? | *¿Dónde está la oficina de información?* | ¿donndé éssta la ofiTHina dé innformaTHïonn? |
| Un billet de première (seconde) classe pour... | *Un billete de primera (segunda) para...* | ounn biLYété de priméra (ségounnda) para... |
| Un aller et retour | *Un billete de ida y vuelta* | ounn biLYété dé ida y bouélta |
| Je voudrais louer une place en 2e (une couchette) | *Quisiera que me reservasen un asiento en segunda (una cama)* | kissïéra ké mé rrésérbassén ounn assiénnto énn ségounnda (ouna kama) |
| Je voudrais une place dans un wagon-lit | *Quisiera un asiento en coche cama* | kissïéra ounn assiénnto énn kotché kama |
| A quelle heure part le train pour...? | *¿A qué hora sale el tren para...?* | ¿a ké ora salé él trénn para...? |
| A quelle heure arrive-t-il à...? | *¿A qué hora llega a...?* | ¿a ké ora LYéga a...? |
| Y a-t-il un wagon-restaurant ? | *¿Hay coche restaurante?* | ¿aï kotché rrésstaourannté? |
| Porteur! Portez cette valise jusqu'au train pour... | *¡Mozo! Lleve esta maleta hasta el tren que va a...* | ¡moTHo! LYébé éssta maléta assta él trénn ké ba a... |
| Je voudrais faire enregistrer cette malle | *Quisiera que me facturasen este baúl* | kissïéra ké mé faktourassénn éssté baoul |

| Est-ce que cette voiture est directe pour...? | ¿Va este coche directo a...? | ¿ba éssté kotché dirékto a...? |
| Faut-il changer? Où? | ¿Hay que cambiar? ¿Dónde? | ¿aï ké kammbïar? ¿donndé? |
| Où se trouve la consigne des bagages? | ¿Dónde está la consigna? | ¿donndé éssta la konnssig'na ? |

## DANS LE TRAIN

| Dans combien de temps arrivons-nous ? | ¿Dentro de cuánto tiempo llegaremos? | ¿dénntro dé kouannto tiémmpo LYégarémoss? |
| Je veux déjeuner. A quelle heure sert-on? | Quisiera almorzar. ¿A qué hora son las comidas? | kissïéra almorTHar ¿a ké ora sonn lass komidass? |
| Puis-je remonter (baisser) la vitre? | ¿Puedo levantar (bajar) la ventanilla? | ¿pouédo lebanntar (baRHar) la bénntaniLYa? |
| Pouvez-vous m'aider à mettre ma valise dans le filet, s'il vous plaît? | ¿Puede V. ayudarme a colocar mi maleta en la rejilla, por favor? | ¿pouédé oussté ayoudarmé a kolokar mi maléta énn la rréRHiLYa, por fabor? |
| A quelle heure arriverons-nous à la frontière? | ¿A qué hora llegaremos a la frontera? | a ké ora LYégarémoss a la frontéra? |
| Les bagages | El equipaje | él ékipaRHé |
| Le chef de gare | El jefe de estación | él RHéfé dé esstaTHïonn |

| Le chef de train | El jefe de tren | él RHéfé dé trénn |
| Le contrôleur | El revisor | él rrébissor |
| Le compartiment | El departamento | él départaménnto |
| Le couloir | El pasillo | él passiLYo |
| La couchette | La litera | la litéra |
| Direct | Directo | dirékto |
| La fenêtre | La ventanilla | la bénntaniLYa |
| Le filet | La rejilla | la rréRHiLYa |
| Le marchand de journaux | El vendedor de periódicos | él bénndédor dé périodikoss |
| L'omnibus | El tren ómnibus | él trénn omnibouss |
| La place | El asiento | él assiénnto |
| La portière | La portezuela | la portéTHouéla |
| Le porteur | El maletero. El mozo | él malétéro. él moTHo |
| Le rapide | El tren rápido | él trénn rrapido |
| La valise | La maleta | la maléta |
| Le wagon-lit | El coche cama | él kotché kama |
| Le wagon-restaurant | El coche restaurante | él kotché rrésstaourannté |

## LA CIRCULATION EN VILLE

| Taxi! | ¡Taxi! | ¡takssi! |
| Êtes-vous libre? | ¿Está libre? | ¿éssta libré? |
| Conduisez-moi rue Cervantes, numéro trois | Lléveme a la calle de Cervantes, número tres | LYébémé a la kaLYé de THérbanntéss nouméro tréss |
| Vite, s'il vous plaît | De prisa, por favor | dé prissa, por fabor |
| Je suis très pressé | Tengo mucha prisa | ténngo moutcha prissa |

| Attendez-moi un instant | Espéreme un momento | esspérémé ounn moménnto |
|---|---|---|
| Y a-t-il un moyen de transport pour se rendre au Prado? | ¿Hay un medio de locomoción para trasladarse al Prado? | ¿aï ounn médio dé lokomoTHïonn para trassladarssé al prado? |
| Y a-t-il un tram (un bus, un autocar)? | ¿Hay un tranvía (un autobús, un autocar)? | ¿aï ounn trannbïa (ounn aoutobouss, ounn aoutokar? |
| Quelle ligne dois-je prendre? | ¿Qué línea he de tomar? | ¿ké linéa é dé tomar? |
| Puis-je prendre le métro? | ¿Puedo tomar el metro? | ¿pouédo tomar él métro? |
| Où se trouve l'arrêt du tramway (de l'autobus)? | ¿Dónde está la parada del tranvía (del autobús)? | ¿donndé éssta la parada dél trannbïa (dél aoutobouss)? |
| Pouvez-vous me montrer mon chemin sur le plan? | ¿Puede enseñarme el camino en el plano? | ¿pouédé énnsségnarmé él kamino énn él plano? |
| Dans combien de temps part le tram, le bus, le car? | ¿Dentro de cuánto tiempo sale el tranvía, el autobús, el autocar? | ¿dénntro dé kouannto tïémmpo salé él trannbïa, él aoutobouss, él aoutokar? |
| A quelle heure a lieu le dernier départ? | ¿A qué hora se efectúa la última salida? | ¿a ké ora sé éféktoua la oultima salida? |
| Où dois-je descendre pour aller rue Goya? | ¿Dónde he de apearme para ir a la calle de Goya? | ¿donndé é dé apéarmé para ir a la kaLYé dé goya? |
| Faut-il changer? Où? | ¿Hay que cambiar? ¿Dónde? | ¿aï ké kammbïar? ¿donndé? |

| | | |
|---|---|---|
| L'arrêt (obligatoire, facultatif) | La parada (fija, discrecional) | la parada (fiRHa, disskréTHïonal) |
| S'arrêter | Parar | parar |
| L'autobus | El autobús | él aoutobouss |
| L'autocar | El autocar | él aoutokar |
| L'avenue | La avenida. La alameda | la abénida. la alaméda |
| La banlieue | Las afueras | las afouérass |
| Le billet | El billete | él biLYété |
| Le carnet de tickets | El taco de billetes | él tako dé biLYétéss |
| Le boulevard | El bulevar | él boulebar |
| Le centre | El centro | él THenntro |
| Le chauffeur | El chófer | él tchofér |
| Complet | Completo | kommpléto |
| Le contrôleur | El revisor | él rrébissor |
| La correspondance | El transbordo | él transsbordo |
| Debout | De pie | dé pié |
| Descendre | Bajar. Apearse | baRHar. apéarssé |
| S'égarer | Extraviarse | esstrabïarssé |
| Le faubourg | El arrabal. El suburbio | él arrabal. él soubourbïo |
| Les halles centrales | La plaza de abastos | la plaTHa dé abasstoss |
| Héler. Appeler un taxi | Dar una voz. Llamar un taxi | dar ouna boTH. LYamar ounn takssi |
| L'impériale | El autobús de dos pisos. La imperial | él aoutobouss de doss pissoss. la immpérïal |
| Libre | Libre | libré |
| Le marchepied | El estribo | él ésstribo |
| Le métro | El metro | él métro |

| | | |
|---|---|---|
| Monter | *Subir* | soubir |
| La place | *El asiento* | él assïénnto |
| La place du marché | *La plaza del mercado* | la pla**T**Ha dél mér-ka**d**o |
| La plateforme | *La plataforma* | la plataf**o**rma |
| Le pont | *El puente* | él pouénnté |
| Le quai | *El andén* | él annd**é**nn |
| La queue | *La cola* | la k**o**la |
| Le receveur | *El cobrador* | él kobrad**o**r |
| La ruelle | *La calleja* | la kaL**Y**éRHa |
| Le trolleybus | *El trolebús* | él troléb**ou**ss |
| Le tarif à l'heure, à la course | *La tarifa por horas, por carrera* | la tar**i**fa por **o**rass, por karr**é**ra |

48

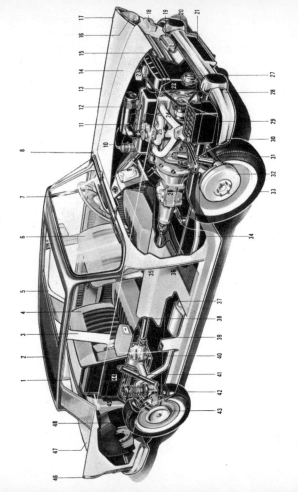

# L'AUTOMOBILE

## Le châssis et la carrosserie

1. La lunette arrière
2. Le toit
3. Le montant central
4. La banquette
5. Le toit ouvrant
6. Le siège à inclinaison variable
7. Le pare-brise
8. L'antenne (*f.*) de T.S.F.
9. Le lave-glace
10. La bobine d'allumage
11. Le carburateur
12. Le filtre à air
13. L'aile *f.*
14. Le capot
15. La calandre
16. Le phare, le projecteur
17. Le feu de position
18. L'indicateur (*m.*) de direction *ou* le clignotant
19. Le phare antibrouillard, le projecteur antibrouillard
20. La crosse de pare-chocs
21. La plaque d'immatriculation
22. Le radiateur
23. Le régulateur de tension
24. Le collecteur d'échappement
25. Le collecteur d'admission
26. La boîte de vitesses
27. L'avertisseur *m.*
28. Le pare-chocs
29. La batterie d'accumulateurs
30. La biellette
31. Le frein à disques
32. Le tambour de frein
33. Le pneumatique (*par abréviation* le pneu)
34. Le tuyau d'échappement
35. Le tunnel
36. Le plancher
37. Le pot d'échappement *ou* le silencieux d'échappement
38. L'arbre (*m.*) de transmission
39. Le joint de cardan
40. Le pont arrière
41. L'amortisseur *m.*
42. Le ressort hélicoïdal de suspension
43. L'enjoliveur *m.*
44. Le réservoir à essence
45. Le coffre à bagages
46. Le feu arrière et le feu de stop
47. Le couvercle du coffre à bagages
48. La roue de secours

## EL AUTOMÓVIL

## El chasis y la carrocería

1. La ventanilla posterior
2. El techo
3. El montante central
4. El asiento
5. El techo con abertura
6. El asiento de inclinación variable
7. El parabrisas
8. La antena de T.S.H.
9. El lavaparabrisas
10. La bobina de encendido
11. El carburador
12. El filtro de aire
13. El ala
14. El capó
15. El cuerpo del radiador
16. El faro, el proyector
17. La luz de parada
18. El indicador de dirección o la luz parpadeante
19. El faro (el proyector) antiniebla
20. El tope corvo del parachoques
21. La placa de matrícula
22. El radiador
23. El regulador de tensión
24. El colector de escape
25. El colector de admisión
26. La caja de cambios
27. La bocina
28. El parachoques
29. La batería de acumuladores
30. La bieleta
31. El freno de discos
32. El tambor de frenos
33. El neumático
34. El tubo de escape
35. El túnel
36. El piso
37. El cilindro antisonoro o silencioso
38. El árbol de transmisión
39. La junta universal o de cardán
40. El puente trasero
41. El amortiguador
42. El muelle helicoidal de suspensión
43. La moldura (el embellecedor)
44. El tanque (el depósito) de gasolina
45. El portamaletas
46. El faro piloto y la luz de frenado
47. La tapa del portamaletas
48. La rueda de recambio

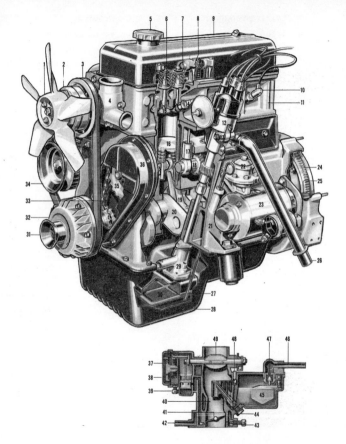

## L'AUTOMOBILE

### Le moteur

1. Le ventilateur
2. L'électro-aimant (m.) de débrayage automatique du ventilateur
3. La courroie trapézoïdale
4. La pompe à eau
5. Le bouchon de l'orifice de remplissage d'huile
6. Le guide de soupape
7. L'axe (m.) des culbuteurs
8. Le culbuteur
9. Le couvre-culbuteurs
10. Le capuchon antiparasites
11. La culasse
12. L'allumeur m.
13. Le condensateur
14. La bougie
15. La soupape
16. Le piston
17. Le poussoir de culbuteur
18. L'arbre (m.) à cames
19. La bielle
20. Le vilebrequin
21. Le bloc-cylindres
22. La pompe à essence
23. Le démarreur
24. La couronne de lancement
25. Le pignon du lanceur

26. Le reniflard
27. La jauge de niveau d'huile
28. Le carter
29. La pompe à huile
30. Le filtre de pompe à huile
31. Le guide-manivelle de mise en marche
32. L'épurateur (m.) centrifuge
33. La chaîne de distribution
34. La dynamo
35. Le pignon de distribution
36. Le carter de distribution

### Le carburateur

37. Le dispositif de départ thermostatique
38. Le boîtier du thermostat
39. La vis de réglage de richesse du ralenti
40. Le diffuseur
41. Le papillon des gaz
42. La prise de dépression
43. La vis pointeau de réglage de vitesse du ralenti
44. Le gicleur principal
45. Le flotteur
46. Le tube d'arrivée d'essence
47. Le pointeau
48. Le gicleur du ralenti
49. Le volet de départ

## EL AUTOMÓVIL

### El motor

1. El ventilador
2. El electroimán de desembrague automático del ventilador
3. La correa trapezoidal
4. La bomba de agua
5. El tapón del orificio de relleno de aceite
6. El guía del vástago de válvula
7. El eje de balancines
8. El balancín
9. El cubrebalancines
10. El casquete antiparásitos
11. La culata
12. El distribuidor de encendido
13. El condensador
14. La bujía
15. La válvula
16. El émbolo
17. El pulsador de balancín
18. El árbol de levas
19. La biela
20. El árbol cigüeñal
21. El bloque de cilindros
22. La bomba de gasolina
23. El motor de arranque
24. La corona dentada de arranque
25. El piñón del acoplamiento libre del motor de arranque

26. El respiradero
27. La varilla de nivel de aceite
28. El cárter
29. La bomba de aceite
30. El filtro de la bomba de aceite
31. El guía-manivela de puesta en marcha
32. El purificador centrífugo
33. La cadena de distribución
34. La dínamo
35. El piñón de distribución
36. El cárter de distribución

### El carburador

37. El dispositivo de salida termostático
38. La caja del termóstato
39. El tornillo de regulación de riqueza de marcha lenta
40. El difusor
41. La mariposa de los gases
42. La toma de depresión
43. El tornillo cónico de regulación de marcha lenta
44. El surtidor principal
45. El flotador
46. El tubo de entrada de la gasolina
47. La válvula de entrada
48. El surtidor de marcha lenta
49. La mariposa de salida

## L'AUTOMOBILE

### Le tableau de bord

1. Le bouton de lave-glace
2. La commande des clignotants
3. Le volant
4. Le compteur de vitesse
5. La montre
6. La commande de l'avertisseur
7. Le témoin de fonctionnement des clignotants
8. Le pare-soleil
9. Le plafonnier
10. Le rétroviseur
11. Le cendrier
12. La commande du dispositif de climatisation
13. La boîte à gants
14. Le dégivreur
15. L'essuie-glace m.
16. L'orifice (m.) de climatisation
17. Le déflecteur d'air
18. Le dispositif de verrouillage
19. La poignée de porte
20. La manivelle lève-glace

21. L'accoudoir m.
22. Le bloc anti-choc
23. Le poste de radio
24. L'allume-cigare m.
25. Le levier de commande de changement de vitesse
26. La pédale de l'accélérateur
27. La pédale de frein
28. La pédale de débrayage
29. La colonne de direction
30. L'antivol (m.) et le contact du démarreur
31. La commande de phares
32. Le frein à main
33. Le rhéostat d'éclairage du tableau de bord
34. La commande d'ouverture du capot
35. Le vide-poche
36. Le commutateur d'essuie-glace
37. La glace

## EL AUTOMÓVIL

### El salpicadero (el tablero de instrumentos)

1. El botón del lavaparabrisas
2. El mando de las luces parpadeantes
3. El volante
4. El velocímetro
5. El reloj
6. El mando de la bocina
7. El indicador de funcionamiento de las luces parpadeantes
8. La pantalla
9. La lámpara de techo
10. El espejo retrovisor
11. El cenicero
12. El mando del calefactor
13. El compartimiento de guantes
14. El descongelador
15. El limpiaparabrisas
16. El orificio del calefactor
17. El derivabrisas
18. El dispositivo de encastre
19. La manecilla de puerta
20. La manivela de elevador de cristales

21. El apoyo para acodarse
22. El taco de tope
23. El aparato de radio
24. El encendedor de cigarros
25. El mando de palanca de cambio de velocidades
26. El pedal del acelerador
27. El pedal del freno
28. El pedal de desembrague
29. La columna de dirección
30. El bloqueo de dirección y el interruptor del motor de arranque
31. El mando de los faros
32. El freno de mano
33. El reóstato de alumbrado del tablero de instrumentos
34. El cable de mando del cierre y apertura del capó
35. La cajita
36. El conmutador del limpiaparabrisas
37. El cristal

54

# L'AVION

## LA « CARAVELLE »

1. Le feu à éclats
2. La timonerie et la servo-commande du volet de profondeur
3. La prise d'air de conditionnement
4. L'antenne (f.) haute fréquence
5. Le siège
6. Le couple et la lisse
7. La voilure
8. La cloison de décrochage
9. Le fuselage
10. La porte d'accès
11. L'appareil (m.) de radio
12. Le poste de pilotage
13. Le tableau de bord
14. Le radar
15. Le phare de roulage
16. Le palonnier et le frein

17. La commande de profondeur et de gauchissement
18. Le logement du train d'atterrissage avant
19. Le train d'atterrissage avant
20. Le vérin de relevage
21. La porte de secours
22. La soute à bagages
23. Le hublot
24. Le bord d'attaque
25. Le longeron
26. Le train d'atterrissage principal
27. Le caisson central
28. Le feu de navigation
29. L'aileron m.
30. Le volet de courbure
31. L'aéro-frein m. (position levée)

32. Le turboréacteur
33. La cloison pare-feu
34. Le fuseau
35. L'escalier (m.) intégré
36. Le caisson de l'escalier
37. Le caisson du plan fixe
38. La dérive

### Le turboréacteur

39. L'entrée (f.) d'air
40. L'aube (f.) de guidage
41. Le compresseur
42. Le palier central
43. L'injecteur (m.) de carburant
44. La chambre de combustion
45. L'arbre (m.) de turbine
46. La turbine de basse pression
47. La turbine de haute pression
48. Le cône d'échappement
49. La tuyère d'éjection des gaz
50. La sortie des gaz d'échappement

# EL AVIÓN

## « CARAVELLE » (Carabela)

1. La luz de destellos
2. Los mandos de dirección y el servo-mando de la aleta de profundidad
3. La toma de aire de acondicionamiento
4. La antena de alta frecuencia
5. El asiento
6. La cuaderna y el larguerillo
7. El ala
8. El mamparo de pérdida
9. El fuselaje
10. La puerta de acceso
11. El aparato de radio
12. El puesto de pilotaje
13. El tablero de a bordo
14. El radar
15. El faro de rodaje
16. La palanca o barra de pedales y el freno

17. El mando de profundidad y de alabeo
18. El compartimiento del tren de aterrizaje delantero
19. El tren de aterrizaje delantero
20. El gato elevador
21. La puerta de emergencia
22. El compartimiento de equipajes
23. La ventanilla
24. El borde de ataque
25. El larguero
26. El tren de aterrizaje principal
27. El cajón central
28. La luz de posición
29. El alerón
30. El flap del ala
31. El freno aerodinámico (en posición levantada)

32. El turborreactor
33. El mamparo cortafuego
34. La góndola del reactor
35. La escalera integrada
36. El cajón de la escalera
37. El cajón del plano fijo
38. El plano de deriva

### El turborreactor

39. La entrada de aire
40. El álabe de prerrotación
41. El compresor
42. El cojinete central
43. El inyector de carburante
44. La cámara de combustión
45. El árbol de turbina
46. La turbina de baja presión
47. La turbina de alta presión
48. El cono de escape
49. La tobera de salida de gases
50. La salida de los gases de escape

# LES GRANDS SERVICES

## POSTE - BANQUE - TÉLÉPHONE

*Billete de banco* : billet de banque
*Buzón* : boîte aux lettres
*Cambio* : change
*Carta certificada* : lettre recommandée
*Componga el número* : composer le numéro
*Correo aéreo* : poste aérienne
*¡Cuelgue!* : raccrochez!
*Descuelgue Usted el auricular* : décrochez le récepteur

*Destinatario* : destinataire
*Empuje* : poussez
*Giro postal* : mandat postal
*¡Hable!* : parlez!
*Lista de correos* : poste restante
*Meta la ficha en la ranura* : mettez le jeton dans la fente
*¡Oiga!* : allô!
*Remitente* : expéditeur
*Sello* : timbre

## BANQUE — CHANGE — TÉLÉPHONE

| | | |
|---|---|---|
| A quelle heure ouvre la banque la plus proche? | *¿A qué hora abre el banco más cercano?* | ¿a ké **o**ra **a**bré él b**a**nnko mass THér**ka**no? |
| J'ai des chèques de voyage | *Tengo cheques de viaje* | té**nn**go tché**ké**ss dé bïa**RH**é |
| Faut-il que je signe? Où? | *¿Tengo que firmar? ¿Dóndé?* | ¿té**nn**go ké firm**a**r? ¿d**o**nndé? |
| Je voudrais changer de l'argent français | *Quisiera cambiar dinero francés* | kissïé**ra** kammbïar di**né**ro frannTHéss |

| | | |
|---|---|---|
| Vaut-il mieux changer ici ou après la frontière? | ¿Es mejor cambiar aquí o pasada la frontera? | ¿ess méRHor kammbïar aki o passada la fronntéra? |
| Pouvez-vous me changer ce billet de cent francs? | ¿Puede cambiarme este billete de cien francos? | ¿pouédé kammbïarmé éssté biLYété de THïénn frannkoss? |
| Pouvez-vous me donner mille pesetas en billets de cent? | ¿Puede darme mil pesetas en billetes de cien pesetas? | ¿pouédé darmé mil péssétass énn bïLYétéss dé THïénn péssétass? |
| Dollar | Dólar | dólar |
| Franc (belge) (suisse) | Franco (belga) (suizo) | frannko (bélga) (souï-THo) |
| Lire | Lira | lira |
| Livre sterling | Libra esterlina | libra éssterlïna |

## LA POSTE

| | | |
|---|---|---|
| Où se trouve le bureau de poste le plus proche? | ¿Dónde está la oficina de correos más cercana? | ¿donndé éssta la ofi-THina dé corréoss mass THérkana? |
| A quelle heure y a-t-il une levée? | ¿A qué hora recogen las cartas? | ¿a ké ora rréko-RHénn lass kartass? |
| Combien coûte l'affranchissement d'une lettre (carte postale) pour la France? | ¿Cuánto cuesta el franqueo de una carta (una postal) para Francia? | ¿kouannto kouéssta él frankéo dé ouna karta (ouna posstal) para frannTHïa? |
| Et par avion? | ¿Y por avión? | ¿i por abïonn? |

| | | |
|---|---|---|
| Cette lettre est-elle suffisamment affranchie? | ¿Es suficiente el franqueo de esta carta? | ¿ess soufiTHïénnté él frankéo dé éssta karta? |
| Veuillez me donner un timbre de six pesetas | Déme un sello de seis pesetas, por favor | démé ounn séLYo dé séïs péssétass, por fabor |
| Où se trouve le guichet de la poste restante? | ¿Dónde está la ventanilla de la lista de correos? | ¿donndé essta la bénntaniLYa dé la lissta de korréoss? |
| Avez-vous du courrier adressé à...? | ¿Tiene Vd. correo dirigido a...? | ¿tïéné oussté korréo diriRHido a...? |
| Je voudrais toucher un mandat | Quisiera cobrar un giro | kissïéra kobrar ounn RHiro |
| Cette lettre partira-t-elle aujourd'hui? | ¿Saldrá la carta hoy mismo? | ¿saldra la karta oï missmo? |
| Je voudrais envoyer un télégramme | Quisiera mandar un telegrama | kissïéra manndar ounn télégrama |
| Combien vous dois-je? | ¿Cuánto le debo? | ¿kouannto lé débo? |
| Où se trouvent les cabines téléphoniques? | ¿Dónde están las cabinas telefónicas? | ¿donndé ésstann lass kabinass téléfonikass? |
| Je voudrais téléphoner à... | Quisiera telefonear a... | kissïéra téléfonéar a... |
| Combien de temps faudra-t-il attendre? | ¿Cuánto tiempo tendré que esperar? | ¿kouannto tïempo téndré ké ésspérar? |
| Quel est le tarif? | ¿Cuál es la tarifa? | ¿koual éss la tarifa? |
| Existe-t-il un tarif réduit, la nuit? | De noche, ¿hay una tarifa reducida? | dé notché, ¿aï ouna tarifa rrédouTHida? |
| Je voudrais le numéro... à Paris | Quisiera el número..., en París | kissïéra él nouméro..., énn pariss |

| | | |
|---|---|---|
| Où puis-je consulter l'annuaire téléphonique? | ¿Dónde puedo consultar la guía de teléfonos? | ¿donndé pouédo konnssoultar la guïa dé téléfonoss? |
| Je voudrais téléphoner à Paris en P.C.V. | Quisiera telefonear a París con cobro revertido | kissïéra téléfonéar à pariss konn kobro rrébértido |
| J'entends très mal | Oigo muy mal | oïgo mouï mal |
| On a coupé la communication | Han cortado la comunicación | an kortado la komounikaTHïon |
| Vous m'avez donné un mauvais numéro | Me ha dado Vd. un número equivocado | mé a dado oussté ounn nouméro ékibokado |
| Pouvez-vous redemander la communication? | ¿Puede Vd. volver a pedir la comunicación? | ¿pouédé oussté bolbér a pédir la komounikaTHïonn? |
| L'abonné | El abonado | él abonado |
| L'accusé de réception | El acuse de recibo | él akoussé dé rréTHibo |
| L'adresse | La dirección (las señas) | la dirékTHïonn (las ségnass) |
| Allô! | ¡Al habla! | ¡al abla! |
| L'annuaire | La guía | la guïa |
| L'automatique | El teléfono automático | él téléfono aoutomatiko |
| La boîte aux lettres | El buzón | él bouTHonn |
| Le colis | El bulto | él boulto |
| Le courrier | El correo | él korréo |
| Le destinataire | El destinatario | él désstinatarïo |
| L'enveloppe | El sobre | él sobré |
| L'expéditeur | El remitente | él rremiténnté |

| L'exprès | El expreso (correo extraordinario) | él éssprésso (korréo esstraòrdinarïo) |
|---|---|---|
| Le facteur | El cartero | él kartéro |
| Le guichet | La ventanilla | la bénntaniLYa |
| Les imprimés | Los impresos | loss immpréssoss |
| Le jeton | La ficha | la fitcha |
| La lettre recommandée | La carta certificada | la karta THértifikada |
| La levée du courrier | La recogida del correo | la rrékoRHida dél korréo |
| Le mandat-poste | El giro postal | él RHiro posstal |
| Le mandat télégraphique | El giro telegráfico | él RHiro télégrafiko |
| Ne quittez pas | No se retire | no sé rrétiré |
| Ne coupez pas | No corte | no korté |
| Le paquet postal | El paquete postal | él pakété posstal |
| Par avion | Por avión | por abïonn |
| La poste restante | La lista de correos | la lissta dé korréoss |
| Le pneumatique | El continental | él konntinénntal |
| Qui est à l'appareil? | ¿Con quién hablo? | ¿ konn kïénn ablo? |
| Le récepteur | El auricular | él aourikoular |
| Signez ici | Firme aquí | firmé aki |
| Standardiste | Telefonista | téléfonissta |
| La surtaxe | La sobretasa | la sobrétassa |
| Le tarif | La tarifa | la tarifa |
| Télégraphier | Telegrafiar | télégrafiar |
| Téléphoner | Telefonear | téléfonéar |
| Le télégramme | El telegrama | él télégrama |
| Le téléphone | El teléfono | él téléfono |
| La sonnerie | El timbre | él timmbré |
| Urgent | Urgente | ourRHénnté |

# L'INSTALLATION ET LA TABLE

## L'HÔTEL : LE CHOIX DE L'HÔTEL

Pouvez-vous m'indiquer un bon hôtel, pas trop cher?

*¿Puede Vd. darme las señas de un buen hotel, no muy caro?*

¿pouedé oussté darmé lass ségnass dé ounn bouénn otel, no mouï karo?

Je préférerais un quartier plus tranquille, plus central

*Preferiría un barrio más tranquilo, más céntrico*

préfériría ounn barrio masstrannkilo, mass THénntriko

Quel est le meilleur hôtel de la ville?

*¿Cuál es el mejor hotel de la ciudad?*

¿koual éss él meRHor otél dé la THiouda?

Est-il très cher? Est-il moderne?

*¿Es caro? ?Es moderno?*

¿ess karo? ¿ess modérno?

Pouvez-vous me recommander une bonne pension de famille?

*¿Puede Vd. recomendarme una buena pensión (casa de huéspedes)?*

¿pouédé oussté rrékoménndarmé ouna bouéna pénnssïonn (kassa dé ouésspédéss)?

Je voudrais un hôtel qui fasse aussi restaurant

*Quisiera un hotel donde se pueda comer*

kissïéra ounn otél donndé sé pouéda komér

## L'ARRIVÉE A L'HÔTEL

Avez-vous des chambres libres?

*¿Tiene Vd. habitaciones desocupadas?*

¿tïéné oussté abitaTHïoness dessokoupadass?

| | | |
|---|---|---|
| Nous sommes quatre | Somos cuatro | somoss kouatro |
| Je voudrais une chambre à un lit pour deux personnes (une chambre à deux lits) | Quisiera una habitación con una cama de matrimonio (una habitación de dos camas) | kissiéra ouna abitaTHïonn konn ouna kama dé matrimonïo (ouna abitaTHïonn dé doss kamass) |
| Avez-vous des chambres avec salle de bains (avec douche)? | ¿Tiene habitaciones con cuarto de baño (con ducha)? | ¿tiéné abitaTHïonéss konn kouarto dé bagno (konn doutcha)? |
| Puis-je voir la chambre? | ¿Puedo ver la habitación? | ¿pouédo bér la abitaTHïonn? |
| Cette chambre me plaît | Esta habitación me gusta | éssta abitaTHïonn mé goussta |
| Je la prends | Me quedo con ella | mé kédo konn éLYa |
| Combien coûte cette chambre? | ¿Cuánto cuesta esta habitación? | ¿kouannto kouéssta éssta abitaTHïonn? |
| Combien coûte la pension complète (la demi-pension)? | ¿Cuánto vale la pensión completa (media pensión)? | ¿kouannto balé la pénnssïon komm-pléta (média pénnssïon)? |
| Je voudrais une chambre tranquille | Quisiera una habitación tranquila | kissiéra ouna abitaTHïonn trankila |
| A quel étage est-elle? | ¿En qué piso está? | ¿en ké pisso éssta? |
| Je préfère une chambre donnant sur le jardin (sur la cour, sur la rue, à un étage élevé) | Prefiero una habitación que da al jardín (al patio, a la calle, en un piso alto) | préfiéro ouna abitaTHïonn ké da al RHardinn (al patïo, a la kaLYé, énn ounn pisso alto) |

| | | |
|---|---|---|
| Vous n'avez rien de mieux? | ¿No tiene nada mejor? | ¿no tïéné nada méRHor? |
| Y a-t-il le chauffage central (l'air conditionné)? | ¿Hay calefacción central (aire acondicionado)? | ¿aï kaléfakTHïonn Thénntral (aïré akonndiTHïonado)? |
| Y a-t-il le téléphone dans la chambre? | ¿Hay teléfono en la habitación? | ¿aï téléfono énn la abitaTHïonn? |
| Y a-t-il un ascenseur? | ¿Hay ascensor? | ¿aï assTHénnssor? |
| Je prendrai mes repas dehors | Tomaré las comidas fuera del hotel | tomaré lass komidass fouéra dél otél |
| Quel est le numéro de la chambre? | ¿Qué número tiene el cuarto? | ¿ké nouméro tïéné él kouarto? |
| Y a-t-il la télévision? | ¿Hay televisión? | ¿aï télébissïonn? |
| Où est le garage? | ¿Donde está el garage? | ¿donndé éssta el garaRHé? |

## DANS LA CHAMBRE

| | | |
|---|---|---|
| Je désire être réveillé à huit heures | Deseo que me despierten a las ocho | désséo ké mé désspïérténn a lass otcho |
| Faites-moi monter, je vous prie, mon petit déjeuner dans ma chambre, à neuf heures | Haga el favor de decir que me suban el desayuno a las nueve | aga él fabor dé déTHir ké mé soubann él déssayouno a lass nouébé |
| Veuillez monter mes bagages | Por favor, súbame el equipaje | por fabor, soubamé él ékipaRHé |
| Pouvez-vous enlever une couverture? | ¿Puede quitarme una manta? | ¿pouédé kitarmé ouna mannta? |

| | | |
|---|---|---|
| Je voudrais une autre couverture, un oreiller et un édredon | *Quisiera una manta más, una almohada y un edredón* | kissïéra ouna mannta mass, ouna almoada, i ounn édrédonn |
| Donnez-moi des serviettes | *Déme toallas* | démé toaLYass |
| Faites-moi monter une bouteille d'eau minérale et un verre | *Que me suban una botella de agua mineral y un vaso* | ké mé souban ouna botéLYa dé agoua minéral i ounn basso |
| Le robinet fuit | *El grifo gotea* | él grifo gotéa |
| Pour mon petit déjeuner, je voudrais du café au lait (chocolat, thé, café noir) avec du pain et du beurre | *Para desayunar, quisiera café con leche (chocolate, té, café solo) con pan y mantequilla* | para déssayounar, kissïéra kafé konn létché (tchokolaté, té, kafé solo) konn pann i manntékiLYa |
| J'ai perdu mon dentifrice, ma brosse à dents et mon savon | *He perdido mi dentífrico, mi cepillo y mi jabón* | é pérdido mi dénntifriko, mi THépiLYo i mi Rhabonn |
| Où puis-je me procurer tout cela? | *¿Donde puedo conseguir todo eso?* | ¿donndé pouédo konnséguir todo ésso? |
| Je pars ce soir (demain) | *Me marcho esta noche (mañana)* | mé martcho éssta notché (magnana) |
| Ma note est-elle prête? | *¿Está preparada la cuenta?* | ¿essta préparada la kouénnta? |
| Veuillez faire descendre mes bagages | *Hágame bajar el equipaje, por favor* | agamé baRHar él ékipaRHé, por fabor |
| Veuillez appeler un taxi | *Llame un taxi, por favor* | LYamé ounn takssi, por fabor |

| Veuillez faire suivre mon courrier à cette adresse | *Haga el favor de remitir mi correo a estas señas (a esta dirección)* | **a**ga él fab**o**r dé rré-mitir mi korr**é**o a **é**sstas s**é**gnass (a **é**ssta dirékTH**ï**onn) |
|---|---|---|

## LE VOCABULAIRE DE L'HÔTEL

| Allumer | *Encender* | enTHénnd**é**r |
|---|---|---|
| Allumette | *Cerilla* | THér**i**LYa |
| L'ampoule | *La bombilla* | la bommb**i**LYa |
| La baignoire | *La bañera* | la bagn**é**ra |
| Le bain | *El baño* | él b**a**gno |
| Le balcon | *El balcón* | él balk**o**nn |
| La chaise | *La silla* | la s**i**LYa |
| Chaud (e) | *Caliente (a)* | kal**ï**énté (a) |
| Le chauffage central | *La calefacción central* | la kaléfakTH**ï**onn TH**é**nntr**a**l |
| La clé | *La llave* | la LY**a**bé |
| Le concierge | *El portero* | él port**é**ro |
| La couverture | *La manta* | la m**a**nnta |
| La descente de lit | *La alfombrilla* | la alfommbr**i**LYa |
| La direction | *La dirección* | la dirékTH**ï**onn |
| La douche | *La ducha* | la d**ou**tcha |
| Le drap | *La sábana* | la s**á**bana |
| Dur (e) | *Duro (a)* | d**ou**ro (a) |
| L'étage | *El piso* | él p**i**sso |
| Éteindre | *Apagar* | apag**a**r |
| Le fauteuil | *El sillón* | él siLY**o**nn |
| La femme de chambre | *La camarera* | la kamar**é**ra |
| La fenêtre | *La ventana* | la bénnt**a**na |

| Fermer à clef | *Cerrar con llave* | THérrar konn LYabé |
| Froid | *Frío* | frïo |
| Fumoir | *Fumadero* | foumadéro |
| Le garçon | *El mozo* | él moTHo |
| La glace | *El espejo* | él esspéRHo |
| La lampe | *La lámpara* | la lammpara |
| Le lavabo | *El lavabo* | él lababo |
| Le lit | *La cama* | la kama |
| Le matelas | *El colchón* | él koltchonn |
| La note | *La cuenta* | la kouénnta |
| L'oreiller | *La almohada* | la almoada |
| Le palier | *El descansillo* | él desskannssiLYo |
| Le rideau | *La cortina* | la kortina |
| Le robinet | *El grifo* | él grifo |
| La salle à manger | *El comedor* | él komédor |
| La salle de bains | *El cuarto de baño* | él kouarto dé bagno |
| Le savon. La savonnette | *El jabón. La jaboneta* | él RHabonn. la RHabonéta |
| Sec (sèche) | *Seco (seca)* | séko (séka) |
| La serrure | *La cerradura* | la Thérradoura |
| Le service. Le pourboire | *El servicio. La propina* | él sérbiTHio. la propina |
| La serviette de toilette | *La toalla* | la toaLYa |
| Le supplément | *El suplemento* | él souplémennto |
| La table | *La mesa* | la méssa |
| La table de nuit | *La mesilla* | la messiLYa |
| La taie | *La funda* | la founnda |
| Le tiroir | *El cajón* | él kaRHonn |
| Les toilettes | *El retrete. Los servicios* | él rrétrété. loss serbiTHioss |

## LE BLANCHISSAGE

| | | |
|---|---|---|
| Pouvez-vous me repasser ce vêtement, ce pantalon ? | ¿Puede Vd. plancharme este vestido, este pantalón? | ¿pouédé oussté plantcharmé essté bésstido, éssté panntalonn? |
| Pouvez-vous coudre ce bouton ? | ¿Puede coserme este botón? | ¿pouédé kossermé éssté botonn? |
| N'oubliez pas de donner mon linge à laver | No se olvide de dar a lavar mi ropa | no sé olbidé dé dar a labar mi rropa |
| Quand est-ce que ce sera prêt ? | ¿Cuándo estará listo? | ¿kouanndo esstara lissto? |
| Ceci ne doit pas être repassé | Esto no hay que plancharlo | éssto no aï ké planntcharlo |
| J'ai besoin de cette chemise pour demain | Necesito esta camisa para mañana | néTHéssito éssta kamissa para magnana |
| Il y a ici une tache | Aquí hay una mancha | aki aï ouna mantcha |
| Ceci n'est pas à moi | Esto no es mío | éssto no éss mío |
| Combien vous dois-je ? | ¿Cuánto le debo? | ¿kouannto lé débo? |
| Amidonner | Almidonar | almidonar |
| Les bas | Las medias | lass médïass |
| La culotte | Las bragas | lass bragass |
| Les chaussettes | Los calcetines | los kalTHétinéss |
| La chemise | La camisa | la kamissa |
| Le chemisier | La blusa | la bloussa |
| Le col | El cuello | él kouéLYo |
| La combinaison | La combinación | la kommbinaTHïonn |
| Le costume tailleur | El traje sastre | él traRHé sasstré |
| La gaine-culotte | La faja | la faRHa |

| | | |
|---|---|---|
| Le jupon | *Las enaguas* | lass énagouass |
| Le mouchoir | *El pañuelo* | él pagnouélo |
| Le pyjama | *El pijama* | él piRHama |
| Repasser | *Planchar* | planntchar |
| La robe | *El vestido* | él bésstido |
| Le slip | *El slip* | él éslip |
| Le soutien-gorge | *El sostén* | él sossténn |

## LA MAISON — LA LOCATION

| | | |
|---|---|---|
| A louer | *Se alquila* | sé alkila |
| Je voudrais louer un appartement (une villa) pour un mois (pour l'été) | *Quisiera alquilar un piso (un hotelito, un chalé) por un mes (por el verano)* | kissiéra alkilar ounn pisso (ounn otélito, ounn tchalé) por ounn méss (por él bérano) |
| Je préférerais en discuter directement avec le propriétaire | *Preferiría discutirlo directamente con el dueño (el propietario)* | préfériria disskoutirlo diréktaménnte konn él douégno (él propiétario) |
| Combien y a-t-il de pièces ? | *¿Cuántos cuartos hay?* | ¿kouanntoss kouartoss aï? |
| Quel est le loyer mensuel ? | *¿Cuál es el alquiler mensual?* | ¿koual éss él alkilér ménnssoual? |
| Est-il meublé ? | *¿Está amueblado?* | ¿essta amouéblado? |
| Devrai-je verser une caution ? | *¿Tendré que depositar una fianza?* | ¿ténndré ké déppositar ouna fïannTHa? |
| Comment est-il orienté ? | *¿Como está orientado?* | ¿komo éssta oriénntado? |
| Y a-t-il une terrasse ? | *¿Hay terraza?* | ¿aï térraTHa? |

| | | |
|---|---|---|
| Dois-je payer le loyer d'avance? | ¿Tengo que pagar el alquiler por adelantado? | ¿ténngo ké pagar él alkilér por adélanntado? |
| Y a-t-il un ascenseur? | ¿Hay ascensor? | ¿aï assTHénnssor? |
| Y a-t-il le téléphone? | ¿Hay teléfono? | ¿aï téléfono? |
| Faut-il apporter les draps? | ¿Hay que traer las sábanas? | ¿aï ké traér lass sabanass? |
| Je voudrais visiter l'appartement à louer | Quisiera visitar el apartamento (piso) que se alquila | kissiéra bissitar él apartaménnto (pisso) ké sé alkila |
| Il me faudrait trois pièces, salle de bains et cuisine | Necesitaría tres habitaciones, cuarto de baño y cocina | néTHéssitaria tréss abitaTHïonéss, kouarto dé bagno y koTHina |
| Y a-t-il vue sur la mer? | ¿Da al mar? | ¿da al mar? |
| Est-ce loin de la plage? | ¿Está lejos de la playa? | ¿essta léRHoss dé la playa? |
| A quel étage est l'appartement à louer? | ¿En qué piso está el apartamento que se alquila? | ¿enn ké pisso éssta él apartaménnto ké sé alkila? |
| Les charges sont-elles comprises? | ¿Están incluidas las cargas? | ¿esstann innklouïdass lass kargass? |
| L'armoire (à glace) | El armario (de luna) | él armarïo (dé louna) |
| L'aspirateur | El aspirador | él asspirador |
| Le balcon | El balcón | él balkonn |
| La cave | La bodega. El sótano | la bodéga. el sotano |
| La chaise | La silla | la siLYa |
| La chambre à coucher | El dormitorio | él dormitorïo |
| La commode | La cómoda | la komoda |

| La concierge | *La portera* | la portéra |
| La cuisine | *La cocina* | la coTHina |
| La cuisinière à gaz (électrique) | *La cocina de gas (eléctrica)* | la coTHina dé gass (éléktrika) |
| Le divan (sofa) | *El diván (sofá)* | él dibann (sofa) |
| L'entrée | *La entrada. El zaguán* | la énntrada. el THagouann |
| Le fauteuil | *El sillón* | él siLYonn |
| Le lit. La literie | *La cama. El juego de cama* | la kama. el RHouégo dé kama |
| La machine à laver | *La lavadora* | la labadora |
| La penderie | *El ropero* | él rropéro |
| Le placard | *El armario empotrado* | él armarïo emmpotrado |
| Le propriétaire | *El dueño* | él douégno |
| Le réfrigérateur | *El refrigerador* | él rréfriRHérador |
| Le rez-de-chaussée | *La planta baja* | la plannta baRHa |
| La salle à manger | *El comedor* | él komédor |
| La salle de séjour | *El cuarto de estar* | él kouarto dé ésstar |
| La table | *La mesa* | la méssa |
| Le tabouret | *El taburete* | él tabourété |
| La télévision | *La televisión* | la télébissïonn |
| La vaisselle | *La loza; la vajilla* | la loTHa; la baRHiLYa |

## LE PERSONNEL DE SERVICE

| Je voudrais une femme de ménage (une bonne, une femme de chambre) | *Quisiera una asistenta (una criada, una doncella)* | kissïéra ouna assissténnta (ouna krïada, ouna donnTHéLYa) |

| | | |
|---|---|---|
| Je voudrais une jeune fille pour surveiller les enfants | *Quisiera una chica para vigilar a los niños* | kissïéra ouna tchika para biRHilar a loss nignoss |
| Combien prend une femme de ménage à l'heure (au mois)? | *¿Cuánto cobra una asistenta por hora (por mes)?* | ¿kouannto kobra ouna assisténnta por ora (por méss)? |
| Peut-on engager une bonne qui puisse travailler à l'heure (à temps complet)? | *¿Se puede contratar una criada que pueda trabajar por horas (todo el día, de plena dedicación)?* | ¿sé pouédé konntratar ouna krïada ké pouéda trabaRHar por orass(todo él dïa, dé pléna dé dikaTHïonn)? |
| La bonne à tout faire | *La chica para todo* | la tchika para todo |
| La bonne d'enfant | *La niñera* | la nignéra |
| Le chauffeur | *El chófer* | él tchofér |
| La cuisinière | *La cocinera* | la koTHinéra |
| La femme de journée | *La asistenta* | la assisténnta |

## LE CAMPING

| | | |
|---|---|---|
| Pouvez-vous m'indiquer un terrain pour camper (un camping)? | *¿Puede indicarme un lugar para acampar (un camping)?* | ¿pouédé inndikarmé ounn lougar para akammpar (ounn kammpinn)? |
| Où est le gardien? | *¿Dónde está el guarda?* | ¿donndé éssta él gouarda? |
| Quelles sont les installations sanitaires? | *¿Cuáles son las instalaciones sanitarias?* | ¿koualéss sonn lass innsstalaTHïonéss sanitarïass? |

| | | |
|---|---|---|
| Combien doit-on payer par jour? | ¿Cuánto se debe pagar al día? | ¿kouannto sé débé pagar al dïa? |
| Puis-je camper ici? | ¿Puedo acampar aquí? | ¿pouédo akammpar aki? |
| Y a-t-il l'électricité? | ¿Hay electricidad? | ¿aï éléktriTHida? |
| Je voudrais une place près de l'eau | Quisiera un sitio cerca del agua | kissïéra ounn sitio THérka dél agoua |
| Y a-t-il une source près d'ici ? | ¿Hay un manantial cerca de aquí ? | ¿aï ounn mananntïal THérka dé aki ? |
| Matériel de camping : tente, sac de couchage, seau de toile, réchaud, gobelets, ouvre-boîtes, bidon, allumettes | Material de camping : tienda de campaña, saco de dormir, cocinilla, vasos plegables, abrelatas, cantimplora, fósforos | matérïal dé kammpinn : tiénnda dé kammpagna, sako dé dormir, koTHinilya, bassoss plégabléss, abrélatass, kanntimmplora, fosfoross |

## LE RESTAURANT : GÉNÉRALITÉS

### AU RESTAURANT : UN PEU DE VOCABULAIRE

*Cuenta* : addition
*Libre* : libre
*Ocupado* : occupé
*Propina* : pourboire

*Servicio* : service
*Servicio incluido* : service compris

*Suplementos* : suppléments

Pouvez-vous me re-commander un bon restaurant (à prix modéré, un snack)?

¿Puede recomendarme un buen restaurante (a precio moderado, una cafetería)?

¡pouédé rrékoménn-darmé ounn bouénn rrésstaourannté (a préTHïo modérado, ouna kafétéria)?

Sert-on dans ce res-taurant des plats ty-piques du pays?

¿Se sirven en este res-taurante platos típi-cos del país?

¡sé sirbénn énn éssté rresstaourannté pla-tos tipikoss dél païss?

Je voudrais déjeuner (goûter, dîner)

Quisiera comer (meren-dar, cenar)

kissïéra komér (mé-rénndar, THénar)

Je voudrais une table dehors, sur la terras-se, près de la fenêtre

Quisiera una mesa fue-ra, en la terraza, cer-ca de la ventana

kissïéra ouna méssa fouéra, énn la térra-THa, THérka dé la bénntana

Nous sommes deux (trois, quatre, cinq)

Somos dos (tres, cuatro, cinco)

somoss doss (tréss, kouatro, THinnko)

Veuillez m'apporter la carte

Tráigame la carta, por favor

traïgame la karta, por fabor

Est-il trop tard pour manger?

¿Es demasiado tarde para comer?

¡ess démassïado tardé para komér?

Je voudrais une carafe d'eau fraîche

Quisiera una jarra de agua fresca

kissïéra ouna RHarra dé agoua frésska

Passez-moi la carte des vins, s'il vous plaît

Déme la carta de vinos, por favor

démé la karta dé bi-noss por fabor

Donnez-moi une four-chette (un couteau, une cuillère, une as-siette)

Déme un tenedor (un cuchillo, una cuchara, un plato)

démé ounn ténédor (ounn koutchiLYo ouna koutchara, ounn plato)

Veuillez m'apporter du pain

Tenga la bondad de traerme pan

ténnga la bonnda dé traérmé pann

| | | |
|---|---|---|
| Puis-je avoir un peu de glace? | ¿Me puede traer un poco de hielo? | ¿mé pouédé traér ounn poko dé yélo? |
| Je voudrais du vin blanc (rouge, rosé, sec, du pays) | Quisiera vino blanco (tinto, clarete, seco, de la tierra) | kissïéra bino blannko (tinnto, klarété, séko, dé la tïérra) |
| Je voudrais parler au maître d'hôtel | Quisiera hablar con el jefe de comedor | kissïéra ablar konn él RHéfé dé komédor |
| Tout d'abord, je voudrais un potage (des pâtes, des hors-d'œuvre) | En primer lugar, quisiera una sopa (pastas, entremeses) | enn primér lougar kissïéra ouna sopa (pastass, énntrémésséss) |
| Je voudrais un bifteck saignant, s'il vous plaît | Quisiera un bisté poco hecho, por favor | kissïéra ounn bissté poko étcho, por fabor |
| Je voudrais du gibier | Quisiera caza | kissïéra kaTHa |
| L'addition, s'il vous plaît | La cuenta, por favor | la kouénnta, por fabor |
| Le service est-il compris? | ¿Está incluido el servicio? | ¿essta innklouïdo él serbiTHio? |
| Le cuisinier | El cocinero | él koTHinéro |
| Le couvert | El cubierto | él koubiérto |
| Le déjeuner | El almuerzo. La comida | él almouérTHo. la komida |
| Le dîner | La cena | la THéna |
| Le garçon | El camarero | él kamaréro |
| Le menu | El menú | él ménou |
| Le petit déjeuner | El desayuno | él déssayouno |
| Le prix fixe | El precio fijo | él préTHïo fiRHo |
| La serveuse | La camarera | la kamaréra |

## COUVERTS ET ACCESSOIRES

| | | |
|---|---|---|
| L'assiette plate | *El plato llano* | él plato LYano |
| L'assiette creuse | *El plato sopero* | él plato sopéro |
| La bouteille | *La botella* | la botéLYa |
| La carafe | *La jarra* | la RHarra |
| Le cendrier | *El cenicero* | él THéniTHéro |
| La cuillère | *La cuchara* | la koutchara |
| La petite cuillère | *La cucharilla* | la koutchariLYa |
| Le couteau à dessert | *El cuchillo de postre* | él koutchiLYo dé po-sstré |
| Le cure-dent | *El palillo de dientes* | él paliLYo dé diénntéss |
| La fourchette | *El tenedor* | él ténédor |
| L'huilier | *Las vinagreras. Las aceiteras* | lass binagrérass. lass aTHéïtérass |
| La nappe | *El mantel* | él manntél |
| La salière | *El salero* | él saléro |
| La serviette de table | *La servilleta* | la sérbiLYéta |
| La soucoupe | *El platillo* | él platiLYo |
| La table d'hôte | *La mesa redonda* | la méssa rrédonnda |
| La tasse | *La taza* | la taTHa |
| Le tire-bouchon | *El sacacorchos* | él sakakortchoss |
| Le verre | *El vaso* | él basso |

## PRÉPARATION ET ACCOMPAGNEMENTS

| | | |
|---|---|---|
| Bouilli | *Hervido* | erbido |
| Brûlé | *Quemado* | kémado |
| Cuit (très, peu, trop) | *Cocido (muy, poco, demasiado)* | koTHido (mouï, poko, démassïado) |

| En ragoût, en sauce | En guisado, en salsa | énn guissado, énn salssa |
| Farci ; la farce | Relleno; el relleno | rréLYéno. él rré-LYéno |
| Frais | Fresco | fréssko |
| Frit. La friture | Frito. La fritada | frito. la fritada |
| Glacé | Helado | élado |
| Sur le gril | A la parrilla | a la parillYa |
| Poivré | Sazonado con pimienta | saTHonado konn pimiénnta |
| Rôti | Asado | assado |
| Saignant | Casi crudo (poco hecho) | kassi kroudou (poko étcho) |
| Salé | Salado | salado |
| Sans saveur | Soso, insípido | sosso, innssipido |
| Sec | Seco | séko |
| Sucré | Azucarado, dulce | aTHoukarado, doulTHé |
| Le beurre | La mantequilla | la manntékiLYa |
| Le citron | El limón | él limonn |
| La glace | El helado | él élado |
| L'huile | El aceite | él aTHéïté |
| La moutarde | La mostaza | la mosstaTHa |
| Le pain grillé | El pan tostado | él pann tosstado |
| Le poivre | La pimienta | la pimiénnta |
| La sauce | La salsa | la salssa |
| Le sel | La sal | la sal |
| Le sucre | El azúcar | él aTHoukar |
| Le vinaigre | El vinagre | él binagré |

## MENU

| | |
|---|---|
| *Bandeja de quesos* : plateau de fromages | *Helado* : glace |
| | *Huevos* : œufs |
| *Bebida* : boissons | *Legumbres, verduras* : légumes |
| *Carne* : viande | *Pastelitos* : gâteaux |
| *Carta de vinos* : carte des vins | *Pescado* : poisson |
| *Caza* : gibier | *Plato de embutidos* : assiette de charcuterie |
| *Entremeses* : hors-d'œuvre | |
| *Fruta* : fruits | *Volatería* : volaille |

## HORS-D'ŒUVRE

| | | |
|---|---|---|
| Les escargots | *Los caracoles* | loss karak**o**léss |
| Les fruits de mer | *Los mariscos* | loss mar**i**sskoss |
| Les hors-d'œuvre variés | *Los entremeses variados* | loss éntrém**é**sséss bar**ia**doss |
| Le jambon | *El jamón* | él RHam**o**nn |
| Le melon | *El melon* | él mél**o**nn |
| La pastèque | *La sandía* | la sannd**ï**a |
| Les olives (noires, vertes) | *Las aceitunas (negras, verdes)* | lass aTHéït**ou**nass (n**é**grass, b**é**rdéss) |
| Les radis | *Los rábanos* | loss rr**a**banoss |
| Le saucisson | *El salchichón* | él saltchich**o**nn |

## POTAGES. RIZ. PATES

| | | |
|---|---|---|
| Le bouillon. Le consommé | *El caldo. El consomé* | él k**a**ldo. él konnssomé |

| Le pot-au-feu | *El cocido. La olla* | él koTHido. la oLYa |
| Le potage au vermi-celle | *La sopa de fideos* | la sopa dé fidéoss |
| La soupe de poisson | *La sopa de pescado* | la sopa dé pésskado |
| | | |
| Les pâtes : | *Las pastas :* | lass passtass : |
|   le macaroni au gra-tin, | *los macarrones al hor-no,* | loss makarronéss al orno, |
|   les nouilles, | *los tallarines,* | loss taLYarinéss, |
|   les raviolis, | *los ravioles,* | loss rabioless, |
|   le vermicelle, | *los fideos,* | loss fidéoss, |
|   Le riz | *El arroz* | él arroTH |

## VIANDE ET GIBIER

| L'agneau | *El cordero* | él kordéro |
| L'aile (de volaille) | *El alón* | él alonn |
| Le bifteck | *El bisté* | él bissté |
| Le blanc de poulet | *La pechuga* | la pétchouga |
| Le bœuf | *El buey* | él bouéï |
| Le boudin | *La morcilla* | la morTHïLYa |
| Le canard | *El pato* | él pato |
| La cervelle | *Los sesos* | loss séssoss |
| Le chevreuil | *El corzo* | él korTHo |
| La côtelette | *La chuleta* | la tchouléta |
| La cuisse | *El anca (grenouille); el muslo (volaille)* | él annka; él mousslo |
| La dinde | *La pava* | la paba |
| L'escalope | *El filete de ternera* | él filété dé térnéra |
| Le faisan | *El faisán* | él faisann |

| Le filet | *El solomillo (bœuf); el lomo (porc)* | él solomiLYo; él lomo |
| La langue de bœuf | *La lengua de buey* | la lénngoua dé bouéï |
| Le lièvre | *La liebre* | la liébré |
| L'oie | *El ganso* | él gannsso |
| La perdrix; le perdreau | *La perdiz; el perdigón* | la pérdiTH; él pérdigonn |
| Le pigeon; | *La paloma* | la paloma |
| Le porc | *El cerdo* | él THérdo |
| Le poulet | *El pollo* | él poLYo |
| Les rognons | *Los riñones* | loss rrignonéss |
| Le rosbif | *El rosbif* | él rrosbif |
| Le sanglier; le marcassin | *El jabalí; el jabato* | él RHabali; él RHabato |
| Du veau; le veau | *Ternera; el ternero* | térnéra; él térnéro |

## POISSONS ET CRUSTACÉS

| Les anchois | *Las anchoas* | lass anntchoass |
| Les calmars (encornets) | *Los calamares* | loss kalamaréss |
| Les crevettes | *Las gambas. Las quisquillas* | lass gammbass. lass kisskiLYass |
| L'écrevisse | *El cangrejo de río* | él kanngréRHo dé rrïo |
| Le hareng | *El arenque* | él arénnké |
| L'huître | *La ostra* | la osstra |
| La langouste | *La langosta* | la lanngossta |
| La langoustine | *La cigala* | la THigala |
| Le maquereau | *La caballa* | la kabaLYa |

| Le merlan frit | La pescadilla frita | la pesskadiLYa frita |
| La morue | El bacalao | él bakalao |
| La moule | El mejillón | él méRHiLYonn |
| La palourde | La almeja | la alméRHa |
| La raie | La raya | la rraya |
| La sardine | La sardina | la sardina |
| Le saumon | El salmón | él salmonn |
| La sole | El lenguado | él lénngouado |
| La truite | La trucha | la troutcha |
| Le turbot | El rodaballo | él rrodabaLYo |

## ŒUFS

| L'œuf dur (brouillé, poché) | El huevo duro (revuelto, escalfado) | él ouébo douro (rrébouélto, esskalfado) |
| L'œuf sur le plat | El huevo al plato | él ouébo al plato |
| L'œuf à la coque | El huevo pasado por agua | él ouébo passado por agoua |
| L'omelette nature, aux champignons, au jambon, au lard, au fromage | La tortilla a la francesa, de setas, de jamón, de tocino, de queso | la tortiLYa a la frannTHéssa, dé sétass, dé RHamonn, dé toTHino, dé késso |

## LÉGUMES

| L'ail | El ajo | él aRHo |
| L'artichaut | La alcachofa | la alkatchofa |
| Les asperges | Los espárragos | loss éssparragos |
| L'aubergine | La berenjena | la bérénnRHéna |
| La betterave | La remolacha | la rrémolatcha |

| Les carottes | *Las zanahorias* | lass THanaorïass |
| Le céleri | *El apio* | él apïo |
| Le champignon; le cèpe | *La seta; el rodellón* | la séta; él rrodéLYonn |
| Le chou; le chou-fleur | *La col; la coliflor* | la kol; la koliflor |
| Le concombre | *El pepino* | él pépino |
| Le cornichon | *El pepinillo* | él pépiniLYo |
| La courgette | *El calabacín* | él kalabaTHinn |
| Les épinards | *Las espinacas* | lass ésspinakass |
| Les fèves | *Las habas* | lass abass |
| Les haricots; les haricots verts | *Las judías; las judías verdes* | lass RHoudïass; lass RHoudïass bérdéss |
| La laitue | *La lechuga* | la létchouga |
| Les lentilles | *Las lentejas* | lass lénntéRHass |
| L'oignon | *La cebolla* | la ThéboLYa |
| Le persil | *El perejil* | él péréRHil |
| Les petits pois | *Los guisantes* | loss guissanntéss |
| Le poireau | *El puerro* | él pouérro |
| La purée de pommes de terre | *El puré de patatas* | él pouré dé patatass |
| La salade | *La ensalada* | la énnssalada |
| La tomate | *El tomate* | él tomaté |

## FROMAGES

| Le fromage blanc | *El requesón* | él rékéssonn |
| Le fromage de chèvre | *El queso de cabra* | él késso dé kabra |
| Le fromage de Hollande | *El queso de bola* | él késso dé bola |
| Le fromage de la Manche | *El queso manchego* | él késso manntchégo |

| Le gruyère | El gruyere | él grouyéré |
| Le parmesan | El parmesano | él parméssano |
| Le roquefort | El roquefort | él rrokéfor |
| Le yaourt | El yogur | él yogour |

## FRUITS ET DESSERTS

| L'abricot | El albaricoque | él albarikoké |
| L'amande | La almendra | la alménndra |
| L'ananas | El ananá; la piña | él anana; la pigna |
| La banane | El plátano | él platano |
| La cerise | La cereza | la ThéréTHa |
| La datte | El dátil | él datil |
| La figue | El higo | él igo |
| Les fraises (des bois) | Las fresas (silvestres) | lass fréssass (silbésstréss) |
| La framboise | La frambuesa | la frammbouéssa |
| Les groseilles | Las grosellas | lass grosséLYass |
| Les mandarines | Las mandarinas | lass manndarinass |
| Les noisettes; les noix | Las avellanas; las nueces | lass abéLYanass; lass nouéTHéss |
| L'orange | La naranja | la narrannRHa |
| Le pamplemousse | El pomelo | él pomélo |
| La pêche | El melocotón | él mélokotonn |
| La poire | La pera | la péra |
| La pomme | La manzana | la mannTHana |
| La prune; le pruneau | La ciruela; la ciruela pasa | la THirouéla; la THirouéla passa |
| Les raisins; les raisins secs | Las uvas; las pasas | lass oubas; lass passass |

| | | |
|---|---|---|
| Le beignet | *El buñuelo. El pestiño* | él bougnou**é**lo. el pés-stigno. |
| La confiture | *La mermelada. La confi-tura* | la mérmél**a**da. la konnfit**ou**ra |
| La crème | *La nata* | la n**a**ta |
| La crème renversée | *El flan* | él fl**a**nn |
| Le gâteau au chocolat | *El pastel de chocolate* | él passt**é**l dé tchoko-l**a**té |
| Le gâteau de riz (de semoule) | *El pastel de arroz (de sémola)* | él passt**é**l dé arro**TH** (dé s**é**mola) |
| La glace | *El helado* | él él**a**do |
| La meringue | *El merengue* | él mérénngué |
| Le miel | *La miel* | la mï**é**l |
| La salade de fruits | *La macedonia de frutas* | la maTHéd**o**nïa dé fr**ou**tass |
| La tarte | *La tarta* | la t**a**rta |

## VINS ET BOISSONS

| | | |
|---|---|---|
| L'alcool | *El alcohol* | él alk**o**l |
| L'anisette | *El anís* | él an**i**ss |
| L'apéritif sans alcool | *El aperitivo sin alcohol* | él apérit**i**bo s**i**nn alk**o**l |
| La bière (blonde, brune) | *La cerveza (dorada, ne-gra)* | la THérbé**TH**a (dor**a**-da, n**é**gra) |
| Le bourgogne | *El borgoña* | él borg**o**gna |
| Brut | *Muy seco* | m**ou**ï s**é**ko |
| Le café | *El café* | él kaf**é** |
| La cave | *La bodega* | la bod**é**ga |
| Chambré | *« Chambré ». Atempe-rado* | « tchammbr**é** ». atémmpér**a**do |

| Le champagne | El champán | él tchammpann |
| Le cognac | El coñac | él kognak |
| Corsé | De cuerpo | dé kouérpo |
| Le degré d'alcool | La graduación alcohólica | la gradouaTHïonn alkolika |
| La bouteille. La demi-bouteille | La botella. Media botella | botéLYa. média botéLYa |
| Le demi-litre | Medio litro | médïo litro |
| Demi-sec | Semiseco | semisséko |
| Doux | Dulce | doulTHé |
| L'eau-de-vie | El aguardiente | él agouardïénnté |
| L'eau minérale (gazeuse) | El agua mineral (con gas) | él agoua minéral (konn gass) |
| Fort | Fuerte | fouérté |
| Frais | Fresco | fréssko |
| Frappé | Enfriado. « Frappé » | énnfriado. « frapé » |
| Léger | Ligero | liRHéro |
| Liquoreux | Generoso | RHénérosso |
| Le millésime | El año de la cosecha | él agno dé la kossétcha |
| Moelleux | Suave | souabé |
| Le parfum. Le bouquet | El perfume. El buqué | él pérfoumé. el bouké |
| Le porto | El oporto | él oporto |
| Le quart | El cuarto | él kouarto |
| Sec; brut | Seco; muy seco | séko; mouï séko |
| Le vin (rouge, blanc, rosé) | El vino (tinto, blanco, clarete) | él bino (tinnto, blannko, klarété) |
| Le vermouth | El vermut | él bérmout |
| Le xérès | El jerez | él RHéréTH |

## AU CAFÉ

| | | |
|---|---|---|
| Garçon! Apportez-moi un café (un crème), un chocolat | ¡Camarero! Tráigame un café (café con leche), un chocolate | ¡kamaréro! traïgamé ounn kafé (kafé konn létché), ounn tchokolaté |
| Je voudrais un verre d'eau fraîche | Quisiera un vaso de agua fresca | kissïéra ounn basso dé agoua frésska |
| Je voudrais une bière (blonde, brune). Un bock. Un demi | Quisiera una cerveza (dorada, negra). Una caña pequeña. Una caña | kissïéra ouna THérbéTHa (dorada, négra). ouna kagna pékégna. ouna kagna |
| Un sandwich au jambon (saucisson); un croque-monsieur | Un bocadillo de jamón (salchichón); un sándwich de jamón y queso | ounn bokadiLYo dé RHamonn (saltchichonn); ounn sanddouïtch dé RHamonn i késso |
| Je voudrais un café léger (fort) | Quisiera un café flojo (fuerte) | kissïéra ounn kafé floRHo (fouérté) |
| Je voudrais un thé au lait (au citron) | Quisiera un té con leche (con limón) | kissïéra ounn té konn létché (konn limonn) |
| Apportez-moi un peu de sucre, s'il vous plaît | Tráigame un poco de azúcar, por favor | traïgamé ounn poko dé aTHoukar, por fabor |
| Un jus de pamplemousse; un citron pressé; une orangeade; une citronnade | Un zumo de pomelo; un limón natural; una naranjada; una limonada | ounn THoumo dé pomélo; ounn limonn natoural; ouna narannRHada; ouna limonada |

| | | |
|---|---|---|
| Une limonade | *Una gaseosa* | **ou**na gasséossa |
| Une menthe | *Una menta* | **ou**na ménnta |
| De la glace | *Hielo* | iélo |
| Je voudrais une glace à la fraise (chocolat, vanille, framboise, citron, pralinée, pistache, café) | *Quisiera un helado de fresa (de chocolate, de vainilla, de frambuesa, de limón, de « praliné » (garapiñada), de pistacho, de café)* | kissïéra ounn élado dé fréssa (dé tchokolaté, dé baïniLYa, dé frammbouéssa, dé limonn, dé praliné (garapignada), dé pisstatcho, dé kafé) |
| Avez-vous des gâteaux ? | *¿ Tiene pasteles ?* | ¿ tiéné passtéléss ? |

# LES MAGASINS

## GÉNÉRALITÉS

---

### DANS LES MAGASINS : UN PEU DE VOCABULAIRE

*Almacén* : grand magasin
*Abierto* : ouvert
*Ascensor* : ascenseur
*Caballeros* : hommes
*Cerrado* : fermé
*Día de cierre semanal* : jour de fer-
    meture hebdomadaire

*No se fía* : la maison ne fait pas de
    crédit
*Saldos* : soldes
*Señoras* : femmes
*Venta al contado (a plazos)* : vente
    au comptant (à tempérament)

---

Pouvez-vous m'indi-quer un magasin de... (une boutique)?

*¿Puede indicarme un almacén de... (una tienda)?*

¿pouédé inndikarmé ounn almaTHénn dé...?(ouna tiénnda)

A quelle heure ouvre-t-il (elle)? (ferme-t-il)?

*¿A qué hora abre? ¿A qué hora cierra?*

¿a ké ora abré? ¿a ké ora THïérra?

Est-il ouvert tous les jours?

*¿Está abierto todos los días?*

¿essta abiérto todoss loss dïass?

Y a-t-il un grand ma-gasin (un supermar-ché)?

*¿Hay un gran almacén (un supermercado)?*

¿aï ounn grann alma-THénn (ounn sou-pérmérkado)?

Je désirerais un ven-deur, une vendeuse

*Quisiera un vendedor, una vendedora*

kissiéra ounn bénndé-dor, ouna bénndé-dora

| Quel est le prix de cet article ? | ¿Qué precio tiene este artículo? | ¿ ké préTHio tïéné éssté artíkoulo? |
| Combien vous dois-je ? | ¿Cuánto le debo? | ¿kouannto lé débo? |
| Je ne veux pas dépenser autant. C'est trop cher. | No quiero gastar tanto. Es muy caro | no kïéro gastar tannto. ess mouï karo |
| Montrez-moi une qualité supérieure (plus ordinaire) | Enséñeme algo de más calidad (más ordinario) | ennsségnéme also dé mass kalida (mass ordinarïo) |
| Je voudrais quelque chose de plus solide | Quisiera algo más sólido | kissïéra algo mass solido |
| Pouvez-vous me le procurer ? | ¿Puede conseguírmelo? | ¿pouédé konnséguirmélo? |
| Pour quand ? | ¿Para cuándo? | ¿para kouanndo? |
| Pouvez-vous me l'adresser à domicile ? | ¿Puede enviármelo a domicilio? | ¿pouédé énnbïarmélo a domiTHilïo? |
| Je paierai à la livraison | Pagaré en el momento de la entrega | pagaré enn él moménnto dé la énntréga |
| Où se trouve la caisse ? | ¿Dónde está la caja? | ¿donndé éssta la caRHa? |
| Faites-moi une facture | Hágame una factura | agamé ouna faktoura |
| Je voudrais échanger cet article | Quisiera cambiar este artículo | kissïéra kammbiar éssté artikoulo |
| En gros | Al por mayor | al por mayor |
| Au détail | Al por menor. Al detall | al por ménor. al détaLY |

## MARCHÉ ET ALIMENTATION

Donnez-moi un pain (deux petits pains)
*Déme un pan (dos panecillos)*
démé ounn pann (doss panéTHiLYoss)

Je voudrais des bonbons
*Quisiera caramelos*
kissiéra karameloss

Une bouteille de vin (d'eau minérale)
*Una botella de vino (de agua mineral)*
ouna botéLYa dé bino (dé agoua minéral)

Trois tranches de jambon de montagne (cuit)
*Tres lonchas de jamón serrano (de York)*
tréss lonntchass dé RHamonn sérrano (dé york)

Avez-vous du saucisson?
*¿Tiene salchichón?*
¿tiéné saltchitchonn?

Je voudrais des fruits
*Quisiera fruta*
kissiéra frouta

Je les voudrais bien mûrs
*Quisiera que estuviesen muy maduras*
kissiéra ké ésstoubiéssénn mouï madourass

Avez-vous du beurre, du fromage, du lait, des œufs?
*¿Tiene mantequilla, queso, leche, huevos?*
¿tiéné manntékiLYa, késso, létché, ouéboss?

Combien coûtent les artichauts, les tomates, les pommes de terre, la laitue, les haricots?
*¿Cuánto valen las alcachofas, los tomates, las patatas, la lechuga, las alubias?*
¿kouannto balénn lass alkatchofass, loss tomatéss, lass patatass, la létchouga, lass aloubïass

## HABILLEMENT POUR HOMMES

| | | |
|---|---|---|
| Je voudrais acheter un costume (un pardessus, un imperméable) | *Quisiera comprarme un traje (un gabán, un impermeable)* | kissïéra komprarmé ounn traRHé (ounn gabann, ounn immpérméablé) |
| Je voudrais une étoffe unie (à rayures), de couleur claire (sombre) | *Quisiera una tela lisa (a rayas), de color claro (oscuro)* | kissïéra ouna téla lissa (a rrayass), dé kolor klaro (osskouro) |
| J'aimerais un costume de coupe classique (moderne, sport) | *Me gustaría un traje de corte clásico (moderno, de sport)* | mé gousstaría ounn traRHé dé korté klassiko (modérno, dé sport) |
| Je veux une veste droite (croisée, avec de grands revers, avec des poches) | *Quiero una americana recta (cruzada, con solapas grandes, con bolsillos)* | kïéro ouna américana rékta (krouTHada, konn solapass granndéss, konn bolssiLYoss) |
| Ce pantalon ne tombe pas bien | *Este pantalón no cae (no sienta) bien* | essté panntalonn no kaé (no sïénnta) bïénn |
| Il est trop large (trop étroit, trop court, trop long) | *Es demasiado ancho (demasiado estrecho, demasiado corto, demasiado largo)* | ess démassïado anntcho (démassïado ésstrétcho, démassïado korto démassïado largo) |
| Pouvez-vous raccourcir les manches? | *¿Puede acortar las mangas?* | ¿pouédé akortar lass manngass? |

| La veste me gêne un peu. Elle me serre trop | La americana (chaqueta) me molesta un poco. Me ajusta demasiado | la américana (tchakéta) mé moléssta ounn poko. mé ARHousta demassïado |
|---|---|---|
| Le bouton | El botón | él botonn |
| La ceinture | El cinturón. La cintura (del cuerpo) | él THinntouronn. la THinntoura (dél kouérpo) |
| Le chapeau | El sombrero | él sommbréro |
| Le col | El cuello | él kouéLYo |
| Court | Corto | korto |
| De demi-saison | De entretiempo | dé énntrétïémmpo |
| La doublure | El forro | él forro |
| L'endroit | El derecho | él dérétcho |
| L'envers | El envés | él énnbéss |
| Essayer | Probar | probar |
| L'étoffe; le tissu | La tela; el tejido | la téla; él téRHido |
| La flanelle | La franela | la franéla |
| La gabardine | La gabardina | la gabardina |
| Le gilet | El chaleco | él tchaléko |
| L'habit | El frac; el vestido | él frak; él bésstido |
| La laine | La lana | la lana |
| Large | Ancho | anntcho |
| Léger | Ligero; fino | liRHéro; fino |
| Long | Largo | largo |
| La manche | La manga | la mannga |
| Le pantalon | El pantalón | él panntalonn |
| Le pli | El pliegue; la raya | él pliégué; la rraya |

| | | |
|---|---|---|
| Raccourcir | *Acortar* | akort**a**r |
| Rallonger | *Alargar* | alarg**a**r |
| Repasser | *Planchar* | planntch**a**r |
| Le revers | *La solapa* | la sol**a**pa |
| Serré | *Apretado* | aprét**a**do |
| La soie | *La seda* | la s**é**da |

## CHEMISERIE

| | | |
|---|---|---|
| Montrez-moi des chemises en popeline (en soie, en tergal) | *Enséñeme camisas de popelín (de seda, de tergal)* | ennss**é**gnémé kami-ssass dé popélinn (dé s**é**da, dé térg**a**l) |
| Donnez-moi une chemise blanche (de couleur, unie, fantaisie) | *Déme una camisa blanca (de color, lisa, de fantasía)* | d**é**mé **ou**na kam**i**ssa bl**a**nnka (dé kol**o**r, l**i**ssa, dé fanntass**ï**a) |
| Encolure : 39 ou 40 | *Medida del cuello : treinta y nueve o cuarenta* | méd**i**da dél kou**é**LYo : tre**ï**nnta y nou**é**bé o kouar**é**nnta |
| Je voudrais un pyjama | *Quisiera un pijama* | kiss**ï**éra ounn piRH**a**ma |
| Donnez-moi deux paires de chaussettes en fil d'Écosse (en coton, en laine, en nylon) | *Déme dos pares de calcetines de hilo de Escocia (de algodón, de lana, de nilón)* | d**é**mé d**o**ss par**é**ss dé kalTH**é**tin**é**ss dé **i**lo dé essk**o**TH**ï**a (dé algod**o**nn, dé l**a**na, dé nil**o**nn) |
| Je les voudrais unies (rayées, fantaisie) | *Los quisiera lisos (rayados, de fantasía)* | loss kiss**ï**éra l**i**ssoss (rray**a**doss, dé fanntass**ï**a) |
| Je chausse du 41 | *Calzo el cuarenta y uno* | kalTHo él kouar**é**nnta i **ou**no |

| | | |
|---|---|---|
| Je voudrais une paire de bretelles | Quisiera unos tirantes | kissiéra ounoss tiranntéss |
| Montrez-moi vos cravates, vos nœuds | Enséñeme las corbatas, los lazos | ennsségnémé lass korbatass, loss laTHoss |
| Donnez-moi une douzaine de mouchoirs | Déme una docena de pañuelos | démé ouna doTHéna dé pagnouéloss |

## HABILLEMENT POUR DAMES

| | | |
|---|---|---|
| Puis-je essayer cette robe (ce tailleur, ce manteau)? | ¿Me puedo probar este vestido (este traje sastre, este abrigo)? | ¿me pouédo probar éssté bésstido (éssté traRHé sasstré, éssté abrigo)? |
| Je désirerais quelque chose de plus simple (de plus élégant, de plus classique) | Desearía algo más sencillo (más elegante, más clásico) | désséariä algo mass sennTHiLYo (mass élégannté, mass klassico) |
| Cette jupe est trop longue (trop courte) | Esta falda es demasiado larga (corta) | éssta falda éss démassïado larga (korta) |
| Veuillez me la raccourcir (rallonger) | Acórtemela (alárguemela), por favor | akortémela (alarguéméla) por fabor |
| Elle pend un peu à gauche (à droite) | Cuelga un poco a la izquierda (a la derecha) | kouélga ounn poko a la iTHkiérda (a la dérétcha) |
| Reprenez l'emmanchure | Meta la sisa | méta la sissa |
| Déplacez les boutons; les agrafes | Cambie de sitio los botones; los corchetes | kammbïé dé sitïo loss botonéss; los kortchétéss |

| Je voudrais : | Quisiera : | kissïéra : |
|---|---|---|
| une blouse | una blusa | ouna bloussa |
| une cape | una capa | ouna kapa |
| un châle | un mantón | ounn manntonn |
| une écharpe | un echarpe | ounn étcharpé |
| une jupe | una falda | ouna falda |
| un manteau (de voyage) (de fourrure) | un abrigo (de viaje) (de piel) | oun abrigo (dé bïaRHé) (dé pïél) |
| Un pantalon | Un pantalón | ounn panntalonn |
| La robe d'intérieur | El traje de casa | él traRHé dé kassa |
| La robe de ville | El traje de calle | él traRHé dé kaLYé |
| La robe d'après-midi | El traje de tarde | él traRHé dé tardé |
| La robe de soirée | El traje de noche | él traRHé de notché |
| Le tailleur | El traje sastre | él traRHé sasstré |
| La veste | La chaqueta | la tchakéta |

## LINGERIE

| Des bas | Medias | médïass |
|---|---|---|
| La broderie | El bordado | él bordado |
| Une combinaison | Una combinación | ouna kommbina-THïonn |
| Le collant | El leotardo | él léotardo |
| La dentelle | El encaje. La puntilla | él ennkaRHé. la pounntiLYa |
| Un jupon | Una enagua | ouna énagoua |
| Un soutien-gorge | Un sostén | ounn sossténn |

## TEINTURERIE

| | | |
|---|---|---|
| Je vous apporte ce vêtement à nettoyer | *Le traigo este vestido para limpiarlo* | lé traïgo éssté besstido para limmpïarlo |
| Ces taches sont des taches de fruit. Est-ce qu'elles partiront ? | *Estas manchas son de fruta ¿Desaparecerán?* | ésstass manntchass sonn dé frouta ¿déssaparéTHérann? |
| Veuillez me détacher ce pantalon | *Quíteme, por favor, las manchas a este pantalón* | kitéme, por fabor, lass manntchass a éssté panntalonn |
| Quand sera-t-il prêt ? | *¿Cuándo estará listo?* | ¿kouanndo ésstara lissto? |
| Cette tache n'est pas partie | *No ha desaparecido esta mancha* | no a déssaparéTHido éssta manntcha |
| Il faut également le repasser | *Hay que darle también un planchazo* | aï ké darlé tammbïénn ounn planntchaTHo |

## CHAUSSURES

| | | |
|---|---|---|
| Je chausse du 39 | *Calzo un treinta y nueve* | kalTHo ounn tréïnnta i nouébé |
| Ces chaussures me serrent un peu | *Estos zapatos me aprietan un poco* | ésstoss THapatoss mé aprïétann ounn poko |
| Je préfère les semelles de cuir assez épaisses | *Prefiero las suelas de cuero bastante espesas* | prefïéro lass souélass dé kouéro basstannté ésspéssas |
| Je n'aime pas les bouts ronds (pointus, carrés) | *No me gustan las punteras redondas (puntiagudas, cuadradas)* | no mé goustann lass pounntérass rrédonndass (pounntïagoudass, kouadradass) |

| | | |
|---|---|---|
| Puis-je voir d'autres modèles du même genre? | ¿Puedo ver otros modelos por el estilo? | ¿pouédo bér otross modéloss por él ésstilo? |
| Avez-vous la pointure au-dessus (au-dessous)? | ¿Tiene el número siguiente (anterior)? | ¿tiéné él nouméro siguïénnté (anntérïor)? |
| Je voudrais des talons moins (plus) hauts et plus fins (plus épais) | Quisiera tacones menos (más) altos y más finos (más gruesos) | kissïéra takonéss ménoss (mass) altoss y mass finoss (mass grouéssoss) |
| La botte (à l'écuyère) | La bota (de montar) | la bota (dé monntar) |
| Le bout | La puntera | la pounntéra |
| La chaussure | El calzado | él kalTHado |
| Les lacets | Los cordones | loss kordonéss |
| Le mocassin | El mocasín | él mokassinn |
| La semelle | La suela | la souéla |
| Le talon | El tacón | él takonn |

## MAROQUINERIE

| | | |
|---|---|---|
| Je voudrais une paire de gants pour dames (pour hommes) | Quisiera un par de guantes de señora (de caballero) | kissïéra ounn par dé gouanntéss dé ségnora (dé kabaLYéro) |
| Des gants de fil, de tricot, de peau | Guantes de hilo, de punto, de cabritilla | gouanntéss dé ilo, dé pounnto, dé kabritiLYa |
| Ces gants sont-ils lavables? | ¿Son lavables estos guantes? | ¿sonn lababléss ésstoss gouanntéss? |

| | | |
|---|---|---|
| Ma pointure est six et demi (sept) | *Mi medida es seis y medio (siete)* | mi médïda éss séïss i médïo (sïété) |
| Je voudrais un sac noir assorti à ces gants | *Quisiera un bolso negro que haga juego con estos guantes* | kissïéra ounn bolsso négro ké aga RHouégo konn ésstoss gouanntéss |
| Je le voudrais assez petit (grand) | *Lo quisiera bastante pequeño (grande)* | lo kissïéra basstannté pékégno (granndé) |
| Je voudrais un portefeuille, une serviette | *Quisiera un billetero, una cartera* | kissïéra ounn biLYétéro, ouna kartéra |
| Un sac en cuir, en daim, en crocodile, en serpent, en velours, en lamé | *Un bolso de piel, de ante, de cocodrilo, de serpiente, de terciopelo, de lamé* | ounn bolsso dé pïél, dé annté, dé kokodrïlo, dé serpïénnté, dé térTHïopélo, de lamé |

## BIJOUTERIE — HORLOGERIE

| | | |
|---|---|---|
| Pouvez-vous m'indiquer un bon bijoutier (horloger)? | *¿Puede darme las señas de un buen joyero (relojero)?* | ¿pouédé darmé lass ségnass dé ounn bouénn RHoyéro (rréloRHéro)? |
| Je voudrais voir des bagues en or, en argent, en platine | *Quisiera ver sortijas de oro, de plata, de platino* | kissïéra bér sortiRHass dé oro, dé plato, dé platino |
| Avez-vous quelque chose de plus simple? | *¿Tiene algo más sencillo?* | ¿tïéné algo mass sénnTHïLYo? |
| La monture de cette bague est-elle solide? | *¿Es sólido el engaste de esta sortija?* | ¿ess solido él énngasté dé éssta sortiRHa? |

| | | |
|---|---|---|
| Je voudrais une bague avec une pierre précieuse | Quisiera una sortija con una piedra preciosa | kissïéra ouna sorti-RHa konn ouna pïédra préTHïossa |
| Celle-ci me plaît. Combien coûte-t-elle? | Esta me gusta ¿Cuánto vale? | essta mé goussta ¿kouannto balé? |
| C'est trop cher | Es demasiado caro | ess démassïado karo |
| Peut-on graver ces initiales? | ¿Se pueden grabar estas iniciales? | ¿sé pouédénn grabar ésstass iniTHïaléss? |
| Veuillez me montrer quelques bracelets | Enséñeme unas pulseras, por favor | ennsségnémé ounass poulssérass, por fabor |
| Je voudrais un produit de l'artisanat local | Quisiera un producto de artesanía local | kissïéra ounn produkto dé artéssanïa lokal |
| Je voudrais un petit bijou, pas trop cher, pour faire un cadeau | Quisiera una joya pequeña, no muy cara, para regalarla | kissïéra ouna RHoya pékégna, no mouï kara, para rrégalarla |
| Ma montre ne marche plus, s'arrête | Mi reloj ya no anda, se para | mi rrélo ya no annda, sé para |
| Pouvez-vous me la réparer? | ¿Puede Vd. reparármelo? | ¿pouédé oussté rrépararmélo? |
| Combien coûtera la réparation? | ¿Cuánto me costará el arreglo (la compostura)? | ¿kouannto mé kosstara él arréglo (la kommposstoura)? |
| Ma montre avance de trois minutes. Elle retarde de deux minutes | Mi reloj adelanta tres minutos. Atrasa dos minutos | mi rrélo adélannta tréss minoutoss. atrassa doss minoutoss |

| | | |
|---|---|---|
| Elle doit avoir besoin d'être nettoyée | *Necesitará una limpieza* | néTHéssitara ouna limmpiéTHa |
| J'ai cassé le verre Pouvez-vous le remplacer? | *He roto el cristal ¿Podría cambiármelo?* | é rroto él krisstal ¿podría kammbïármélo? |
| Quand sera-ce prêt? | *¿Cuándo estará listo?* | ¿kouanndo ésstara lissto? |
| Je viens acheter un bracelet-montre | *Vengo a comprar un reloj de pulsera* | bénngo a kommprar ounn rrélo dé poulsséra |
| Je voudrais un réveil | *Quisiera un despertador* | kissïéra ounn désspértador |
| Combien de temps dure la garantie? | *¿Cuánto tiempo dura la garantía?* | ¿kouannto tïemmpo doura la garanntïa? |
| Le ressort est cassé | *El muelle está roto* | él mouéLYé éssta rroto |
| L'acier | *El acero* | él aTHéro |
| L'agrafe | *El corchete* | él kortchété |
| L'aiguille | *La manecilla. La aguja* | la maneTHiLYa. la agouRHa |
| L'alliance | *El anillo de boda* | él aniLYo dé boda |
| L'améthyste | *La amatista* | la amatissta |
| L'argent | *La plata* | la plata |
| La bague | *La sortija* | la sortiRHa |
| Le bijou | *La alhaja (la joya)* | la alaRHa (la RHoya) |
| Le boîtier | *La caja* | la kaRHa |
| Les boucles d'oreille | *Los pendientes* | loss pénndïénntéss |
| Les boutons de manchettes | *Los gemelos* | loss RHéméloss |
| Le bracelet | *La pulsera* | la poulsséra |
| La broche | *El broche* | él brotché |

| La chaîne | La cadena | la kadéna |
| Le chronomètre | El cronómetro | él kronométro |
| Le collier | El collar | él koLYar |
| Le corail | El coral | él koral |
| Le diamant | El diamante | él dïammannté |
| L'émeraude | La esmeralda | la éssméralda |
| L'étui à cigarettes | La pitillera | la pitiLYéra |
| La montre | El reloj | él rrélo |
| L'orfèvre | El platero | él platéro |
| La perle | La perla | la perla |
| La pierre précieuse | La piedra preciosa | la piédra préTHiossa |
| Le platine | El platino | él platino |
| Le ressort | El muelle | él mouéLYé |
| Le rubis | El rubí | él rroubi |

## SALON DE COIFFURE POUR DAMES

| Je viens demander un rendez-vous | Vengo a pedir hora | bénngo a pédir ora |
| Je voudrais un shampooing, une mise en plis, une permanente | Quisiera un champú, un marcado de ondas, una permanente | kissiéra un tchammpou, ounn markado dé onndass, ouna pérmanénnté |
| Mes cheveux sont trop longs. Il faut me les couper | Tengo el pelo demasiado largo. Hay que cortarlo | ténngo él pélo démassïado largo. aï ké kortarlo |
| Je voudrais me faire teindre (décolorer) les cheveux | Quisiera teñirme (decolorarme) el pelo | kissiéra tégnirmé (dékolorarmé) él pélo |

| | | |
|---|---|---|
| Le casque est trop chaud (pas assez chaud) | *El secador está demasiado caliente (poco caliente)* | él sékad**o**r éss**ta** démassï**a**do kalï**é**nnté (p**o**ko kalï**é**nnté) |
| Faites-moi une coiffure à la mode | *Hágame un peinado de moda* | **a**gamé ounn péïn**a**do dé m**o**da |
| Appelez la manucure, s'il vous plaît | *Llame a la manicura, por favor* | LY**a**mé a la manik**ou**ra, por fab**o**r |
| Je voudrais un vernis assez clair (nacré, foncé) | *Quisiera un esmalte bastante claro (anacarado, oscuro)* | kissï**é**ra ounn éssm**a**lté bass**ta**nnté kl**a**ro (anakar**a**do, oss-k**ou**ro) |
| | | |
| Blond | *Rubio* | r**ou**bïo |
| Brun | *Moreno* | mor**é**no |
| Châtain | *Castaño* | kass**ta**gno |
| Cheveux raides, ondulés, secs, gras | *Cabellos tiesos, ondulados, secos, grasos* | kab**é**LYos tï**é**ssoss, onnd**ou**ladoss, s**é**koss, gr**a**ssoss |
| | | |
| Le chignon | *El moño* | él m**o**gno |
| Couper; la coupe | *Cortar; el corte* | kort**a**r; él k**o**rté |
| Crêper | *Cardar* | kard**a**r |
| Devant | *Delante* | dél**a**nnté |
| Derrière | *Detrás* | détr**a**ss |
| La frange | *El flequillo* | él flék**i**LYo |
| La laque | *La laca* | la l**a**ka |
| La mèche | *El mechón* | él métch**o**nn |
| La natte | *La trenza* | la tr**é**nnTHa |
| La perruque | *La peluca* | la pel**ou**ka |
| Le postiche | *El postizo* | él posst**i**THo |
| La raie | *La raya* | la rr**a**ya |
| Le séchoir | *El secador* | él sékad**o**r |

| Le shampooing | *El champú* | él tchammp**ou** |
| Sur le front | *Por la frente* | por la fr**é**nnté |
| Sur les oreilles | *Por las orejas* | por lass or**é**RHass |

## SALON DE COIFFURE POUR HOMMES

| Pouvez-vous m'indiquer un bon coiffeur? | *¿Puede darme las señas de un buen peluquero?* | ¿pou**é**dé d**a**rmé lass s**é**gnass dé ounn bou**é**nn peloukéro? |
| Je voudrais que vous me coupiez les cheveux | *Quisiera que me cortase el pelo* | kissï**é**ra ké mé kort**a**ssé él p**é**lo |
| Veuillez me raser, s'il vous plaît | *Tenga la bondad de afeitarme* | t**é**nnga la bonnd**a** dé aféït**a**rmé |
| J'aimerais une coupe au rasoir | *Me gustaría un corte a navaja* | mé gousstarï**a** ounn k**o**rté a nab**a**RHa |
| Je fais la raie à droite (à gauche) | *Llevo la raya a la derecha (a la izquierda)* | LY**é**bo la rr**a**ya a la dér**é**tcha (a la iTH-kï**é**rda) |
| Je les voudrais un peu plus courts sur les côtés (devant, derrière) | *Los quisiera un poco más cortos por los lados (por delante, por detrás)* | loss kissï**é**ra ounn p**o**ko m**a**ss k**o**rtoss por loss l**a**doss (por dél**a**nnté, por détr**a**ss) |
| Faites-moi une friction, un shampooing | *Hágame una fricción, un champú* | **a**gamé **ou**na frik-TH**ï**onn, ounn tchammp**ou** |
| Les ciseaux | *Las tijeras* | lass tiRH**é**rass |
| La laque | *La laca* | la l**a**ka |
| La manucure | *La manicura* | la manik**ou**ra |

| Le peigne | *El peine* | él péïné |
| Le rasoir | *La navaja de afeitar* | la nabaRHa dé aféïtar |
| Le savon | *El jabón* | él RHabonn |

## PARFUMERIE

| Avez-vous des parfums français? | *¿Tiene Vd. perfumes franceses?* | ¿tïéné oussté pérfouméss frannTHésséss? |
| Combien coûte ce petit flacon? | *¿Cuánto vale ese frasquito?* | ¿kouannto balé éssé frasskito? |
| Donnez-moi un parfum espagnol de bonne qualité | *Déme un perfume español de buena calidad* | démé ounn pérfumé ésspagnol dé bouéna kalida |
| Je voudrais aussi de l'eau de Cologne (de lavande) | *Quisiera agua de Colonia (de lavanda)* | kissïéra agoua dé kolonïa (dé labannda) |
| Il me faut des lames de rasoir | *Necesito hojas de afeitar* | néTHéssito oRHass dé aféïtar |
| Le blaireau | *La brocha* | la brotcha |
| La brosse à dents | *El cepillo de dientes* | él THépiLYo dé dïénntéss |
| La brosse à cheveux | *El cepillo de la cabeza* | él THépiLYo dé la cabéRHa |
| Le coton hydrophile | *El algodón hidrófilo* | él algodonn idrofilo |
| La crème de toilette | *La crema de tocador* | la kréma dé tokador |
| La crème solaire | *La crema solar* | la kréma solar |
| Le déodorant | *El desodorante* | él déssodorannté |
| Le dissolvant | *El disolvente* | él dissolbénnté |

| | | |
|---|---|---|
| L'éponge | *La esponja* | la éssponnRHa |
| Le fond de teint | *La base de maquillaje* | la bassé dé makiLYa-RHé |
| La lotion à démaquiller | *La loción para desmaquillar* | la lothionn para dessmakiLYar |
| La lame de rasoir | *La hoja de afeitar* | la oRHa dé aféïtar |
| Le peigne | *El peine* | él péïné |
| Le rasoir. Le rasoir électrique | *La afeitadora. La máquinilla de afeitar* | la aféïtadora. la makiniLYa dé aféïtar éléktrika. |
| Le rouge à lèvres | *La barra de labios* | la barra dé labïoss |
| La savonnette | *La pastilla de jabón* | la passtiLYa dé RHabonn |
| Le vaporisateur | *El pulverizador* | él pulbériTHador |

## LIBRAIRIE-PAPETERIE

| | | |
|---|---|---|
| Je voudrais une grammaire espagnole (en français) et un bon dictionnaire espagnol-français et français-espagnol | *Quisiera una gramática española (en francés) y un buen diccionario español-francés y francés-español* | kissïéra ouna gramatika ésspagnola (énn frannTHéss) y ounn bouénn dikTHïonarïo ésspagnol-frannTHéss i frannTHéss-ésspagnol |
| Je voudrais une carte, un guide touristique de l'Espagne (de la région, de la ville) | *Quisiera un mapa, una guía turística de España (de la región, de la ciudad)* | kissïéra ounn mapa, ouna guïa dé ésspagna (dé la rréRHïonn, dé la THïoudа) |

| | | |
|---|---|---|
| Je cherche un beau livre, pour offrir | Estoy buscando un libro bonito, para un regalo | esstoï bousskanndo ounn libro bonito, para ounn rrégalo |
| Pouvez-vous me recommander un bon roman ? | ¿Puede recomendarme una buena novela? | ¿pouédé rrékoménndarmé ouna bouéna nobéla? |
| Avez-vous les œuvres de... (des romans français) ? | ¿Tiene las obras de... (novelas francesas)? | ¿tiéné lass obrass dé... (nobélass frann THé ssass)? |
| Pouvez-vous me procurer ce livre ? Pour quand ? | ¿Puede conseguirme este libro? ¿Para cuándo? | ¿pouédé konnséguirmé éssté libro? ¿para kouanndo? |
| Avez-vous des revues françaises ? | ¿Tiene revistas francesas? | ¿tiéné rrébisstass frannTHéssass? |
| Vendez-vous des livres d'occasion ? | ¿Vende libros de lance? | ¿bénndé libross dé lannTHé? |
| Je voudrais un livre sur l'histoire de la ville | Quisiera un libro sobre la historia de la ciudad | kissiéra ounn libro sobré la isstorïa dé la THïouda |
| Je voudrais du papier à lettre de bonne qualité | Quisiera papel de escribir (de cartas) de buena calidad | kissiéra papél dé ésskribir (dé kartass) dé bouéna kalida |
| Il me faut des enveloppes de format commercial | Necesito sobres de formato (tamaño) comercial | néTHéssito sobréss dé formato (tamagno) komérTHïal |
| Donnez-moi un cahier et un carnet | Déme un cuaderno y un carnet | démé ounn kouadérno i ounn karné |
| Avez-vous une recharge pour ce crayon à bille ? | ¿Tiene un recambio para este bolígrafo? | ¿tiéné ounn rrékammbïo para éssté boligrafo? |

| | | |
|---|---|---|
| L'agenda (de poche) | *La agenda (de bolsillo)* | la aRHénnda (dé bols-siLYo) |
| La colle | *La goma de pegar; la cola* | la goma dé pégar; la kola |
| Le crayon à bille | *El bolígrafo* | él boligrafo |
| Le crayon noir | *El lápiz negro* | él lapiTH négro |
| L'éditeur | *El editor* | él éditor |
| L'enveloppe « par a-vion » | *El sobre « por avión »* | él sobré « por abïonn » |
| Le format | *El tamaño (el formato)* | él tamagno (él for-mato) |
| La gomme | *La goma de borrar* | la goma dé borrar |
| Le magazine | *La revista ilustrada* | la rrébissta ilousstra-da |
| La nouvelle (récit) | *La novela corta* | la nobéla korta |
| Le plan de la ville | *El plano de la ciudad* | él plano dé la THïouda |
| Le roman | *La novela* | la nobéla |
| Le stylo | *La estilográfica* | la ésstilografika |
| Le taille-crayons | *El sacapuntas* | él sakapounntass |

## TABAC

| | | |
|---|---|---|
| Y a-t-il un bureau de tabac près d'ici ? | *¿Hay un estanco cerca de aquí?* | ¿aï ounn éssta̲nnko THérka dé aki? |
| Avez-vous des ciga-rettes françaises (an-glaises, améri-caines) ? | *¿Tiene Vd. tabaco fran-cés (inglés, ameri-cano)?* | ¿tiéné oussté tabako frannTHéss (inn-gléss, amérikano)? |

| | | |
|---|---|---|
| Quelles marques de cigarettes avez-vous? | ¿Qué marcas de cigarrillos tiene? | ¿ké markass dé THigarriLYoss tiéné? |
| Je voudrais des cigarettes espagnoles fortes (légères) | Quisiera cigarrillos españoles fuertes (flojos) | kissïéra THigarriLYoss ésspagnoléss fouértéss (floRHoss) |
| J'aime le goût anglais; le tabac blond | Me gusta el sabor inglés; el tabaco rubio | mé goussta él sabor inngléss; él tabako rroubïo |
| Je fume la pipe. Quel tabac me conseillez-vous? | Fumo en pipa ¿Qué tabaco me aconseja? | foumo énn pipa ¿ké tabako mé akonnsséRHa? |
| Je voudrais un bon cigare (fort, léger) | Quisiera un buen puro (fuerte, flojo) | kissïéra ounn bouénn pouro (fouérté, floRHo) |
| Combien coûtent ces cigares? | ¿Cuánto cuestan estos puros? | ¿kouannto kouésstann ésstoss pourosss? |
| J'ai besoin d'un briquet | Necesito un encendedor (un mechero) | néTHéssito ounn énnTHénndédor (ounn métchéro) |
| Donnez-moi de l'essence (du gaz) à briquet | Déme gasolina (gas) para encendedor | démé gassolina (gass) para énnTHénndédor |
| Il me faut une boîte d'allumettes | Necesito una caja de cerillas | néTHéssito ouna kaRHa de THériLYass |
| Cette pipe en bruyère, (en écume) me plaît | Me gusta esta pipa de brezo (de espuma de mar) | mé goussta éssta pipa dé bréTHo (dé ésspouma dé mar) |
| Avez-vous des cartes postales en noir, en couleurs? | ¿Tiene postales en negro, en colores? | ¿tïéné posstaléss énn négro, énn koloréss? |

## JOURNAUX

| | | |
|---|---|---|
| Avez-vous des journaux français? | ¿Tiene periódicos franceses? | ¿tïéné péríodikoss frannTHésséss? |
| Quels hebdomadaires français recevez-vous? | ¿Qué semanarios franceses recibe? | ¿ké sémanarïoss frannTHésséss rréTHibé? |
| Je voudrais un journal sportif | Quisiera un periódico deportivo | kïssiéra ounn périodiko déportibo |
| Il me faut une revue féminine (de modes) | Necesito una revista femenina (un figurín) | néTHéssito ouná rrébissta féménina (ounn figourinn) |

## FLEURS

| | | |
|---|---|---|
| Où puis-je trouver une bonne fleuriste? | ¿Dónde podré encontrar una buena florista? | ¿donndé podré énnkonntrar ouna bouéna florissta? |
| Je voudrais offrir des fleurs. Conseillez-moi | Quisiera ofrecer flores. Aconséjeme | kissïéra ofréTHér floréss. akonnsséRHémé |
| Combien coûtent les roses? | ¿Cuánto valen las rosas? | ¿kouannto balénn lass rrossass? |
| Pouvez-vous les envoyer à cette adresse? | ¿Puede mandarlas a esta dirección? | ¿pouédé manndarlass a éssta dirékTHïonn? |
| Je préférerais une plante verte (grasse) | Preferiría una planta verde (carnosa) | préférirïa ouna plannta bérdé (karnossa) |
| L'azalée | La azalea | la aTHaléa |

| Le bouquet; la gerbe | *El ramillete; el ramo* | él rramiLYété; él rra-mo |
| Le dalhia | *La dalia* | la dalïa |
| La feuille | *La hoja* | la oRHa |
| La fleur | *La flor* | la flor |
| La fougère | *El helecho* | él élétcho |
| Le glaïeul | *El estoque* | él estoké |
| L'hortensia | *La hortensia* | la orténnssïa |
| La jacinthe | *El jacinto* | él RHaTHinnto |
| Le lys | *La azucena* | la aTHouThéna |
| Le narcisse | *El narciso* | él narTHisso |
| L'œillet | *El clavel* | él klabél |
| La pensée | *El pensamiento* | él pénnssamiénnto |
| La plante | *La planta* | la plannta |
| Le pot (le vase) | *El tiesto (el florero)* | él tïéssto (él floréro) |
| La tige | *El tallo* | él taLYo |
| La tulipe | *El tulipán* | él toulipann |
| La violette | *La violeta* | la bïoléta |

## DISQUES

| Je voudrais un disque, un microsillon, un 45 tours | *Quisiera un disco, un microsurco, un cuarenta y cinco r.p.m. (revoluciones por minuto)* | kissïéra ounn dissko, ounn mikrossourko, ounn kouarénnta i THinnko érré pé émé (rrébolouTHïonéss por minouto) |
| Donnez-moi un disque de musique classi- | *Déme un disco de música clásica, de música* | démé ounn dissko dé moussika klassika, |

que, de musique populaire andalouse, de musique espagnole ancienne?

*flamenca, de música española antigua?*

dé **mou**ssika fla**mé**nnka, dé **mou**ssika ésspagn**o**la ann**ti**goua?

Quels sont les chanteurs en vogue, en Espagne?

*¿Cuáles son los cantantes en boga, en España?*

¿kou**a**léss sonn loss kannt**a**nntéss énn b**o**ga, énn essp**a**gna?

Avez-vous des disques de chansons françaises?

*¿Tiene discos de canciones francesas?*

¿t**ï**ené d**i**sskos de kann-TH**ï**onéss frannTH**é**ssass?

Je voudrais que vous me répariez cet électrophone

*Quisiera que me reparase este tocadiscos*

kiss**ï**éra ké mé rrépa**ra**ssé **é**ssté tokad**i**sskoss

## PHOTO — CINÉMA — TÉLÉVISION — RADIO

J'ai besoin de trois photos d'identité (format carte postale)

*Necesito tres fotos de identidad (tamaño tarjeta postal)*

néTH**é**ssito tr**é**ss f**o**toss dé idénntid**a** (tama-gno tarRH**é**ta post**a**l)

Il me faut un appareil photographique (une caméra)

*Me hace falta una máquina fotográfica (una cámara)*

mé **a**TH**é** f**a**lta **ou**na m**a**kina fotogr**a**fika (**ou**na ka**m**ara)

Je cherche une pellicule, un film, pour cet appareil

*Estoy buscando una película, un film, para esta máquina*

esst**o**ï boussk**a**nndo **ou**na pél**i**koula, ounn film, p**a**ra **é**ssta m**a**kina

| | | |
|---|---|---|
| Quelles marques avez-vous ? | ¿Qué marcas tiene? | ¡ké markass tïéné? |
| Je voudrais que vous me développiez ces négatifs (ce rouleau) | Quisiera que me revelase estos negativos (este carrete) | kissïéra ké mé rrébélassé ésstass négatibass (éssté karreté) |
| Je préfère les diapositives | Prefiero las diaspositivas | préfïéro lass dïasposssitibass |
| Je voudrais une pellicule très (peu) sensible | Quisiera una película muy (poco) sensible | kissïéra ouna pélikoula mouï (poko) sénnssiblé |
| En blanc et noir (en couleurs) | En blanco y negro (en colores) | énn blannko i négro (énn koloréss) |
| Veuillez tirer une épreuve de chaque | Sáqueme una prueba de cada una, por favor | sakémé ouna prouéba dé kada ouna, por fabor |
| Je voudrais faire faire un agrandissement | Quisiera mandar hacer una ampliación | kissïéra manndar aTHér ouna ammplïaTHïonn |
| Pouvez-vous me placer le rouleau (la pile) dans l'appareil ? | ¿Puede colocarme el carrete (la pila) en la máquina? | ¿pouédé kolokarmé él karrété (la pila) énn la makina? |
| Avez-vous des ampoules pour flash ? | ¿Tiene ampollas para la iluminación? | ¿tïéné ammpolyass para la iloumina-THïonn? |
| Avez-vous des filtres ? | ¿Tiene filtros? | ¿tïéné filtross? |
| Cet appareil est cassé | Esta máquina está rota | éssta makina éssta rrota |
| Mettre au point; la mise au point | Enfocar; el enfoque (el regulado) | ennfokar; él énnfoké (él rrégoulado) |

112

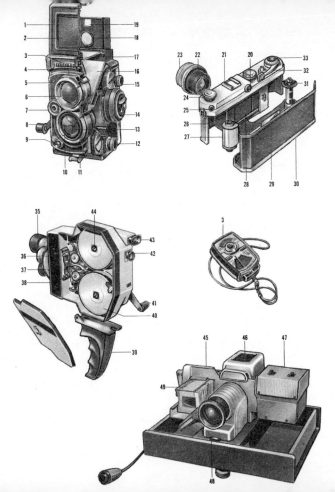

# LES APPAREILS PHOTOGRAPHIQUES
## LA CAMÉRA
## LE PROJECTEUR FIXE

### Appareils photographiques
#### L'appareil Reflex

1. Le capuchon de visée
2. Le viseur iconomètre
3. La cellule photo-électrique
4. Le voyant de réglage de lumination
5. Le déclencheur à retardement
6. L'objectif (m.) de visée
7. Le bouton de réglage de vitesse et d'indice de lumination
8. La manivelle d'avancement du film et d'armement de l'obturateur
9. Le bouton de déclenchement
10. Le diaphragme de l'obturateur
11. Le verrou de fermeture
12. Le bouton de la bobine débitrice
13. L'objectif (m.) de prise de vue
14. Le bouton de mise au point
15. Le bouton de la bobine d'enroulement
16. Le miroir
17. Le verre dépoli
18. La loupe de visée
19. La fenêtre du viseur iconomètre

#### Le « Petit format »

20. Le viseur télémétrique
21. La griffe pour accessoires (viseur universel, flash) ou la semelle de montage d'accessoires          [de champ
22. La bague de réglage de profondeur
23. L'objectif (m.) interchangeable
24. Le bouton de réembobinage
25. La prise de synchronisation
26. L'obturateur (m.) à rideaux
27. La bobine standard
28. La fenêtre d'exposition
29. Le presse-film
30. Le dos de l'appareil
31. La bobine réceptrice
32. Le levier d'avancement du film
33. Le compteur de clichés
34. La barrette de sécurité

### La caméra

35. Le télé-objectif
36. Le couloir
37. La tourelle
38. L'axe (m.) fixe
39. La poignée de déclenchement
40. La bobine débitrice
41. La manivelle de remontage du moteur
42. Le viseur auxiliaire
43. Le viseur reflex
44. L'axe (m.) de bobine

### Le projecteur fixe

45. Le passe-vue automatique          [flerie
46. La lanterne de projection avec souf-
47. Le moteur
48. Le réglage en hauteur de la projection
49. Le panier-classeur

---

# LOS APARATOS FOTOGRÁFICOS
## LA CÁMARA
## EL PROYECTOR FIJO

### Aparatos fotográficos
#### El aparato Reflex

1. El capuchón visor
2. El visor iconómetro
3. La célula fotoeléctrica
4. La mirilla de ajuste de luminación
5. El disparador de retardo
6. El objetivo visor
7. El botón de ajuste de la velocidad y del índice de luminación
8. La manivela de avance de la película y de puesta en tensión del obturador
9. El botón de disparo
10. El diafragma del obturador
11. El cerrojo de cierre
12. El botón del carrete cargado
13. El objetivo de toma de vistas
14. El botón de enfoque
15. El botón del carrete de enrollamiento
16. El espejo
17. El cristal esmerilado
18. La lupa del visor
19. La ventanilla del visor iconómetro

#### El pequeño tamaño (24 × 36)

20. El visor telemétrico
21. El gancho para accesorios (visor universal, relámpago) o zapata de montaje de accesorios          [de campo
22. El anillo de regulación de profundidad
23. El objetivo intercambiable
24. El botón de rebobinado
25. La toma de sincronización
26. El obturador de cortina
27. El carrete normal
28. La ventanilla de exposición
29. El prensapelícula
30. La parte trasera del aparato
31. El carrete receptor
32. La palanca de avance de la película
33. El contador de exposiciones
34. La barreta de seguridad

### La cámara

35. El teleobjetivo
36. El guía de la película
37. El cabezal portaobjetivos
38. El eje fijo
39. La empuñadura de disparo
40. El carrete cargado          [motor
41. La manivela para poner en tensión el
42. El visor auxiliar
43. El visor reflex
44. El eje del carrete

### El proyector fijo

45. El pasavistas automático          [dor soplante
46. La linterna de proyección con ventila-
47. El motor
48. El ajuste en altura de la proyección
49. El bastidor de clasificación de vistas

Le tirage; tirer

*La tirada; sacar copias*

la tirada; sakar kopïass

L'obturateur

*El obturador*

él obtourador

Il me faut des piles pour mon transistor

*Necesito pilas para mi transistor*

néTHéssito pilass para mi trannssisstor

Où puis-je faire réparer mon poste de radio?

*¿Dónde puedo hacerme arreglar el aparato de radio?*

¿donndé pouédo aTHermé arréglar él aparato dé rradïo?

Je voudrais louer un téléviseur

*Quisiera alquilar un televisor*

kissïéra alkilar ounn télébissor

Quel est le bouton du son (des contrastes, de la luminosité)?

*¿Cuál es el botón del sonido (de contrastes, de la luminosidad)?*

¿koual ess él botonn dél sonido (dé conntrastéss, dé la luminossida)?

Combien de chaînes de télévision y a-t-il...?

*¿Cuántos canales de televisión hay...?*

¿kouanntoss kanaléss dé télébissïonn aï...?

# CENTRES D'INTÉRÊT ET DISTRACTIONS

## GÉNÉRALITÉS

| Français | Español | Prononciation |
|---|---|---|
| Y a-t-il des excursions organisées pour visiter la ville (ses environs)? | ¿Hay excursiones organizadas para visitar la ciudad (sus alrededores)? | ¿aï esskourssïonéss organiTHadass para bissitar la THïouda (souss alrrédédoréss)? |
| Pouvez-vous m'indiquer les prix? | ¿Puede indicarme los precios? | ¿pouédé inndikarmé loss préTHïoss? |
| Vos excursions sont-elles guidées? | Sus excursiones ¿van acompañadas de guías? | souss ésskourssïonéss ¿bann akommpagnadass dé guïas? |
| Je retiens trois places pour... | Resérveme tres asientos para... | résérbémé tréss assïénntoss para... |

## VISITE DE LA VILLE

| Français | Español | Prononciation |
|---|---|---|
| Qu'y a-t-il à visiter dans cette ville? (dans les environs?) | ¿Qué hay que visitar en esta ciudad? (en las cercanías?) | ¿ké aï ké bissitar énn éssta THïouda? (énn lass THérkanïass?) |
| Y a-t-il des monuments anciens? | ¿Hay monumentos antiguos? | ¿aï monouménntoss anntigouoss? |
| Où est le centre de la ville? | ¿Dónde está el centro de la ciudad? | ¿donndé éssta él THénntro dé la THïouda? |
| Où puis-je acheter un | ¿Dónde puedo comprar- | ¿donndé pouédo |

| | | |
|---|---|---|
| guide simple et pratique (un plan)? | *me una guía simple y práctica (un plano)?* | kommprarmé ou**na** guï**a** si**mm**plé y pra**k**tika (ounn plano)? |
| Où se trouve la rue Cervantes? | *¿Dónde se encuentra la calle Cervantes?* | ¿do**nn**dé sé énnkou-é**nn**tra la ka**L**Yé dé THérba**nn**téss? |
| Quel est ce bâtiment? | *¿Qué edificio es ése?* | ¿ké édifiTHïo éss éssé? |
| Faut-il une autorisation spéciale pour visiter ce cloître? | *¿Se necesita un permiso especial para visitar ese claustro?* | ¿sé néTHéssita ounn pérmisso ésspé-THïal para bissitar éssé klaousstro? |
| A qui dois-je la demander? | *¿A quién he de pedirlo?* | ¿a kïénn é dé pédirlo? |
| Le musée est-il ouvert? | *¿Está abierto el museo?* | ¿essta abïérto él moussé**o**? |
| Suis-je loin de la cathédrale? | *¿Estoy lejos de la catedral?* | ¿esstoï léRHoss dé la katédral? |
| Le couvent | *El convento* | él konnbénnto |
| Le jardin public; le parc | *El jardín público; el parque* | él RHardinn poubliko; él parké |
| La mairie | *El ayuntamiento* | él ayounntamïénnto |
| Le théâtre | *El teatro* | él téatro |
| L'Université | *La Universidad* | la ounibérssida |

## LIEUX DU CULTE

| | | |
|---|---|---|
| Où se trouve l'église la plus proche? | *¿Dónde se encuentra la iglesia más cercana?* | ¿donndé sé énnkou-énntra la igléssïa mass THérkana? |

| | | |
|---|---|---|
| A quelle heure a lieu la première (la dernière) messe? | ¿A qué hora se celebra la primera (la última) misa? | ¿a ké **o**ra sé TH**é**lébra la prim**é**ra (la **ou**ltima) m**i**ssa? |
| L'abside | El ábside | él **a**bssidé |
| L'autel; le maître-autel | El altar; el altar mayor | él alt**a**r; él alt**a**r may**o**r |
| Les bas-côtés | Las naves laterales | lass n**a**béss latér**a**léss |
| La cathédrale | La catedral | la katédr**a**l |
| La chaire | El púlpito | él p**ou**lpito |
| Le chœur | El coro | él k**o**ro |
| Le clocher, les cloches | El campanario, las campanas | él kammpan**a**rïo, lass kamp**a**nass |
| Le curé | El cura, el párroco | él k**ou**ra, él p**a**rroko |
| L'église | La iglesia | la igl**é**ssïa |
| L'évêché | El obispado | él obissp**a**do |
| La messe | La misa | la m**i**ssa |
| La mosquée | La mezquita | la méTHk**i**ta |
| La nef centrale | La nave principal | la nab**é** prinnTHip**a**l |
| Les orgues | El órgano | él **o**rgano |
| Le pasteur | El pastor | él passt**o**r |
| Le prêtre | El sacerdote | él saTHérd**o**té |
| Le rabbin | El rabino | él rrab**i**no |
| Le sanctuaire | El santuario | él sanntou**a**rïo |
| La synagogue | La sinagoga | la sinag**o**ga |
| Le temple | El templo | él t**e**mmplo |
| Les vitraux | Las vidrieras | lass bidri**é**ras |
| La voûte | La bóveda | la bob**é**da |

## MUSÉES

| | | |
|---|---|---|
| Y a-t-il plusieurs musées dans la ville? | ¿Hay varios museos en la ciudad? | ¿aï barïoss mousséoss énn la THïouda? |
| A quelle heure ouvre (ferme) le musée? | ¿A qué hora abre (cierra) el museo? | ¿a qué ora abré (THïérra) él mousséo? |
| Où est le musée des Beaux-Arts (d'Ethnologie, d'Histoire Naturelle, d'Art Moderne, du Prado)? | ¿Dónde está el museo de Bellas Artes (de Etnología, de Historia Natural, de Arte Moderno, del Prado)? | ¿donndé éssta él mousséo dé béLYass artéss (dé etnoloRHïa, dé istoria natoural, dé arté modérno, dél prado) |
| Le musée est-il ouvert tous les jours? | ¿Está abierto el museo todos los días? | ¿essta abïérto él mousséo todoss loss dïass? |
| Quel est le prix d'entrée? | ¿Cuánto es la entrada? | ¿kouannto éss la énntrada? |
| Où trouve-t-on le guide du musée? | ¿Dónde se encuentra la guía del museo? | ¿donndé sé énnkouénntra la guïa dél mousséo? |
| Peut-on se procurer des reproductions des tableaux? | ¿Puede uno adquirir reproducciones de los cuadros? | ¿pouédé ouno adkirir rréprodoukTHïonéss dé loss kouadross? |
| Peut-on photographier les peintures? | ¿Se pueden sacar fotos de las pinturas? | ¿sé pouédénn sakar fotoss dé lass pinntourass? |

## SPECTACLES

Je voudrais aller au théâtre, au cinéma, au concert, aux courses de taureaux

*Quisiera ir al teatro, al cine, al concierto, a las corridas*

kissïéra ir al téatro, al THiné, al konnTHïérto, a lass korridass

Je préférerais une comédie gaie (un film amusant)

*Preferiría una comedia alegre (una película divertida)*

préfériría ouna komédïa alégré (ouna pélikoula dibértida)

Où pourrai-je consulter l'affiche des spectacles?

*¿Dónde podré consultar la cartelera de espectáculos?*

¿donndé podré konnssoultar kartéléra dé ésspéktakoulos?

Dois-je louer des places à l'avance?

*¿Tengo que reservar las localidades de antemano?*

¿ténngo ké rrésserbar lass lokalidadéss dé anntémano?

A quelle heure commence le spectacle?

*¿A qué hora empieza el espectáculo?*

¿a ké ora émmpïéTHa él ésspéktakoulo?

Le cinéma est-il permanent?

*¿Es de sesión continua el cine?*

¿ess dé séssïonn konntinoua él THiné?

Indiquez-moi un bon film (une bonne pièce)

*Indíqueme una buena película (una buena obra de teatro)*

inndikémé ouna bouéna pélikola (ouna bouéna obra dé téatro)

Est-il possible d'assister à un concert?

*¿Será posible asistir a un concierto?*

¿séra possiblé assisstir a ounn konnTHïérto?

Je voudrais deux fauteuils d'orchestre, pas trop près de l'écran

*Quisiera dos butacas de patio, no muy cerca de la pantalla*

kissïéra doss boutakass dé patïo, no mouï THérka dé la panntaLYa

| Y a-t-il des night-clubs? | ¿Hay clubs nocturnos? | ¿aï kloubss noktour-noss? |
| Y a-t-il un champ de courses? | ¿Hay hipódromo? | ¿aï ipodromo? |
| | | |
| L'acte; l'acteur; l'actrice | El acto; el actor; la actriz | él akto; él aktor; la aktriTH |
| L'auteur | El autor | él aoutor |
| Le premier balcon | El entresuelo | él énntréssouélo |
| Le billet | El billete | él biLYété |
| La comédie | La comedia | la komédïa |
| Le costume | El traje | él traRHé |
| Les décors | Los decorados | loss dékoradoss |
| Le drame lyrique | El drama lírico | él drama liriko |
| L'entracte | El entreacto | él énntréakto |
| Le fauteuil d'orchestre | La butaca de patio | la boutaka dé paTHïo |
| Le foyer | El saloncillo (el foyer) | él salonnTHiLYo (él foyé) |
| La loge | El palco | él palko |
| La pièce | La obra teatral | la obra téatral |
| La place | La localidad | la lokalida |
| La première | El estreno | él ésstréno |
| Le programme | El programa | él programa |
| Le poulailler | El gallinero | él gaLYinéro |
| Réserver; réservation | Reservar; reserva | rréssérbar; rréssérba |
| La revue | La revista | la rrébissta |
| Le rideau | El telón | él télonn |
| Le rôle principal | El papel principal | él papél prinnTHipal |
| La scène | La escena; el escenario | la éssTHéna; el éssTHénarïo |

| La tragédie | La tragedia | la traRHédïa |
| La vedette | El protagonista | él protagonissta |
| | | |
| Les actualités | El no-do | él no-do |
| Le cinéma; le cinéaste | El cine; el cineasta | él THiné; él THinéassta |
| La doublure | El suplente; el doble | él souplénnté; él doblé |
| L'écran | La pantalla | la panntaLYa |
| Le documentaire | El documental | él dokouménntal |
| L'exclusivité | La exclusiva | la esscloussiba |
| Le film policier | La película policíaca | la pélikoula poliTHïaka |
| | | |
| Le générique | La presentación | la préssénntaTHïonn |
| | | |
| Le ballet | El ballet | él balé |
| Le chef d'orchestre | El director de orquesta | él diréktor dé orkessta |
| Le chanteur; la cantatrice | El cantante; la cantante | él kanntannté; la kanntannté |
| Le concert vocal (instrumental, symphonique) | El concierto vocal (instrumental, sinfónico) | él konnTHïérto bokal (innsstrouménntal, sinnfóniko) |
| Le chœur; le choriste | El coro; el corista | él koro; él korissta |
| La danse | El baile; la danza | él baïle; la dannTHa |
| Le danseur; la danseuse | El bailarín; la bailarina | él baïlarinn; la baïlarina |
| Les instruments à vent (à cordes, à percussion) | Los instrumentos de viento (de cuerda, de percusión) | loss innsstrouménntoss dé bïénnto, dé kouérda, dé pérkoussïonn) |
| Le musicien | El músico | él moussiko |

| | | |
|---|---|---|
| La musique de chambre | La música de cámara | la moussika dé kamara |
| L'opéra bouffe | La ópera bufa | la opéra boufa |
| L'opérette à l'espagnole | La zarzuela | la THarTHouéla |
| La symphonie | La sinfonía | la sinnfonïa |
| Le soliste | El solista | él solissta |
| Le violoniste | El violinista | él biolinissta |
| La voix | La voz | la boTH |
| Le cirque | El circo | él THirko |
| La consommation | La consumición (la bebida) | la konnssoumiTHïonn (la bébida) |
| La salle de bal; le dancing | El salón de baile; el dáncing | él salonn dé baïlé; él dannTHinng |
| Danses espagnoles : la muñeira, la jota, la sardana, la sevillana, le tango, le boléro | Bailes españoles : la muñeira, la jota, la sardana, la sevillana, el tango, el bolero | baïléss ésspagnoléss : la mougnéïra, la RHota, la sardana, la sébiLYana, él tanngo, él boléro |
| Le book-maker | El bookmáker | él boukmakér |
| Le champ de courses | El hipódromo | él ipodromo |
| Les chevaux; l'écurie | Los caballos; la cuadra | loss kabaLYoss; la kouadra |
| Les courses de chevaux | Las carreras de caballos | lass karrérass dé kabaLYoss |
| Le gagnant | El ganador | él ganador |
| Le galop; le trot | El galope; el trote | él galopé; él troté |
| Placé | Colocado | kolokado |
| Le P.M.U. | Las mutuas | lass moutouass |

# JEUX

| | | |
|---|---|---|
| Voulez-vous faire une partie d'échecs? | *¿Quiere echar una partida de ajedrez?* | ¿kiéré étchar **ou**na partida dé aRHédréTH? |
| Apportez un échiquier | *Tráigame un tablero* | traïgamé ounn tabléro |
| Est-il possible d'organiser un bridge? | *¿Se puede organizar un bridge?* | ¿sé pouédé organiTHar ounn brid-RHé? |
| Je voudrais jouer au poker | *Quisiera jugar al póker* | kissiéra RHougar al pokér |
| Jouez-vous au billard? | *¿Juega Vd. al billar?* | ¿RHouéga oussté al biLYar? |
| Jeux de cartes espagnol : | *La baraja española :* | la ba**r**aRHa ésspagn**o**la : |
|   coupes (= cœurs) | *copas* | k**o**pass |
|   ors (= carreaux) | *oros* | **o**ross |
|   épées (= piques) | *espadas* | ésspadass |
|   petites massues (= trèfles) | *bastos* | basstoss |
|   Le Roi | *El Rey* | él réï |
|   Le Cavalier | *El Caballo* | él kab**a**LYo |
|   Le Valet | *La Sota* | la s**o**ta |
|   L'As | *El As* | él ass |
| Les couleurs | *Los palos* | loss p**a**loss |
| Le jeu de dames; le damier | *El juego de damas; el tablero* | él RHouégo dé damass; él tabléro; |

# LES SPORTS

## SPORTS D'HIVER

| | | |
|---|---|---|
| Comment est la neige aujourd'hui? (poudreuse, gelée, damée?) | *¿Cómo está la nieve hoy? (en polvo, helada, apisonada?)* | ¿komo éssta la nïébé oï? (énn polbo, élada, apissonada?) |
| Y a-t-il des pistes de ski faciles (difficiles) dans les environs? | *¿Hay pistas fáciles (difíciles) en las cercanías?* | ¿aï pisstass faTHiléss (difiTHiléss) énn lass THérkanïass? |
| Je veux prendre des leçons de ski | *Quiero tomar lecciones de eskí* | kïéro tomar lekTHïonéss dé ésski |
| Le chasse-neige | *El quitanieves* | él kitanïébéss |
| Le remonte-pente | *El telesquí* | él télesski |
| La télécabine | *El teleférico monocable* | él téléfériko monokablé |
| Le téléphérique | *El teleférico* | él téléfériko |

## SPORTS NAUTIQUES

| | | |
|---|---|---|
| Je possède un bateau à voiles, un canot pneumatique, un yacht | *Poseo un barco velero (balandro), un bote neumático, un yate* | posséo ounn barko béléro (balanndro), ounn boté néoumatiko, ounn yaté |
| Y a-t-il un port où l'on puisse mouiller? | *¿Hay un puerto dónde se pueda fondear?* | ¿aï ounn pouérto donndé sé pouéda fonndéar? |

| D'où vient le vent? | ¿De dónde sopla el viento? | ¿dé donndé sopla él biénnto? |
|---|---|---|
| Quelles sont les prévisions météorologiques? | ¿Cuáles son los previsiones meteorólogicas? | ¿koualéss sonn lass prébissïonéss météoroloRHikass? |
| Où pourrai-je me réapprovisionner en carburant? | ¿Dónde podré repostar carburante? | ¿donndé podré rréposstar karbouranné? |
| Peut-on louer une embarcation? | ¿Se puede alquilar una lancha (embarcación)? | sé pouédé alkilar ouna lanntcha (émmbarkaTHïonn)? |
| L'ancre; jeter l'ancre | El ancla; anclar | él annkla; annklar |
| Les avirons | Los remos | loss rrémoss |
| La barre | La caña del timón | la kagna del timonn |
| La cabine | La cabina; el camarote | la kabina; él kamaroté |
| La carène | La carena (las obras vivas) | la karéna (lass obrass bibass) |
| Les cartes marines | Las cartas marinas | lass kartass marinass |
| Le compas; la boussole | El compás; la brújula | él kommpass; la brouRHoula |
| La coque | El casco | él kassko |
| La croisière | El crucero | él krouTHéro |
| Le foc | El foque | él foké |
| Le gouvernail | El timón | él timonn |
| L'hélice | La hélice | la éliTHé |
| Le hors-bord | El fuera borda | él fouéra borda |
| Le mât | El palo (el mástil) | él palo (el masstil) |
| Le moteur; le motorship | El motor; la motonave | él motor; la motanabé |
| La quille | La quilla | la kiLYa |

| Les rames; ramer | Los remos; remar | loss rrémoss; rrémar |
| Sous le pont | Bajo cubierta | baRHo koubïérta |
| Sur le pont | Sobre cubierta | sobré koubïérta |
| La vedette | La lancha motora | la lanntcha motora |
| La voile | La vela | la béla |

## CHASSE ET PÊCHE

| La chasse est-elle ouverte (fermée)? | ¿Está abierta (vedada) la caza? | ¿essta abïérta (bédada) la kaTHa? |
| Quel gibier à plume, y a-t-il dans cette région? | ¿Qué caza de pluma hay en esta región? | ¿ké kaTHa dé plouma aï énn éssta rréRHïonn? |
| Que dois-je faire pour pouvoir chasser dans une réserve? | ¿Qué tengo que hacer para poder cazar en un coto? | ¿ké ténngo ké aTHér para podér kaTHar énn ounn koto? |
| Quels poissons peut-on pêcher ici? | ¿Qué peces se pueden pescar aquí? | ¿ké péTHéss sé pouédénn pesskar aki? |
| Où pourrai-je acheter des articles de chasse (de pêche)? | ¿Dónde podré comprar artículos de caza (de pesca)? | ¿donndé podré kommprar artikouloss dé kaTHa (dé pésska)? |
| L'amorce | El mixto (el fulminante) | él missto (él foulminannté) |
| L'appât | El cebo | él THébo |
| La carabine | La carabina | la karabina |
| Le carnier | El morral | él morral |
| La cartouche; la cartouchière | El cartucho; la canana | él kartoutcho; la kanana |

| Le chien de chasse | *El perro de caza* | él pérro dé kaTHa |
| Le chien du fusil | *El gatillo* | él gatiLYo |
| Le fusil | *La escopeta* | la ésskopéta |
| Le garde-chasse; le garde-pêche | *El guarda de caza; el guarda de pesca* | él gouarda dé kaTHa; él gouarda dé pésska |
| Le gibier à poil | *La caza de pelo* | la kaTHa dé pélo |
| L'hameçon | *El anzuelo* | él annTHouélo |
| La ligne; la canne à pêche | *El sedal; la caña de pescar* | él sédal; la kagna dé peskar |
| La réserve | *La reserva de pesca; el coto de caza* | la rréssérba dé pésska él koto de kaTHa |

## AUTRES SPORTS

| L'athlétisme | *El atletismo* | él atlétismo |
| La course à pied (de haies) | *La carrera pedestre (de vallas)* | la karrera pédésstré (dé baLYass) |
| Le lancer du disque (du marteau, du javelot, du poids) | *El lanzamiento de disco (de martillo, de jabalina, de peso)* | él lannTHamiénnto dé disko (dé martiLYo, dé RHabalina, dé pésso) |
| La marche | *La marcha* | la martcha |
| Le saut en hauteur (en longueur, à la perche) | *El salto de altura (de longitud, con pértiga)* | él salto dé altoura (dé lonnRHitou, konn pértiga) |
| Le basket-ball | *El baloncesto* | él balonnTHéssto |
| La boxe | *El boxeo* | él boksséo |
| Le catch | *La lucha libre* | la loutcha libré |
| Battre au points | *Vencer por puntos* | bennTHér por pounntoss |

| Le ring | *El ring* | él rring |
|---|---|---|
| Le round | *El asalto* | él assalto |
| Le canotage | *El remo* | él rrémo |
| Le cyclisme | *El ciclismo* | él THiklismo |
| La bicyclette | *La bicicleta* | la biTHiklèta |
| L'équitation | *La equitación* | la ékitaTHïonn |
| L'escrime | *La esgrima* | la éssgrima |
| Le football | *El fútbol* | él foutbol |
| Le footballeur | *El futbolista* | él foutbolissta |
| Le ballon ovale (rond) | *El balón ovalado (redondo)* | él balonn obalado (rrédonndo) |
| Le but | *La portería; el gol (el tanto)* | la portéria; él gol (él tannto) |
| Le joueur | *El jugador* | él RHougador |
| Le terrain de football | *El terreno de fútbol* | él térréno dé foutbol |
| La touche | *La banda* | la bannda |
| Le golf | *El golf* | él golf |
| La crosse | *El club* | él kloub |
| Le maillet | *El mazo* | él maTHo |
| La gymnastique | *La gimnasia* | la RHimnasia |
| Les haltères | *Las pesas* | lass péssass |
| Le hockey sur glace (sur gazon) | *El hockey sobre hielo (sobre hierba)* | él okéï sobré ïélo (sobré ïérba) |
| Le motocyclisme | *El motorismo* | él motorismo |
| La natation | *La natación* | la nataTHïonn |
| Le plongeon (du tremplin) | *El salto de trampolin* | él salto dé trammpolinn |
| Le patinage à roulettes | *El patinaje sobre ruedas* | él patinaRHé sobré rrouédass |
| La pelote basque | *La pelota vasca* | la pélota basska |

| | | |
|---|---|---|
| Le polo | *El polo* | él p**o**lo |
| Le joueur de polo | *El polista* | él poli**ss**a |
| Le rugby | *El rugby* | él rr**ou**gbi |
| Le tennis | *El tenis* | él t**é**ni**ss** |
| Les balles de tennis | *Las pelotas de tenis* | las pél**o**ta**ss** dé t**é**ni**ss** |
| Le court | *La pista de tenis* | la pi**ss**ta dé t**é**ni**ss** |

## LES COURSES DE TAUREAUX

| | | |
|---|---|---|
| L'amateur | *El aficionado* | él afiTH**ï**on**a**do |
| Les arènes. La place au soleil (à l'ombre); les gradins; les gradins couverts; les gradins découverts | *La plaza. La localidad de sol (de sombra); el graderío; la andanada; el tendido* | la pl**a**TH**a**. la lokalid**a** dés**o**l (dés**o**mmbra); él gradér**ï**o; la ann-dan**a**da; él t**é**nnd**i**do |
| La première rangée des sièges; la première barrière; la deuxième barrière; l'allée entre les deux barrières; l'abri; l'arène (la piste) | *La delantera; la valla; la contrabarrera; el callejón; el burladero; el ruedo (el redondel)* | la délannt**é**ra; la v**a**LYa; la konntrabar-r**é**ra; él kaLY**é**RH**o**nn; él bourlad**é**ro; él rrou**é**do (él rrédonnd**é**l) |
| Le défilé. L'équipe. Le toréador | *El paseo. La cuadrilla. El torero* | él pass**é**o. la kouadr**i**-LYa. él tor**é**ro |
| Le combat; la course de taurillons | *La lidia; la novillada* | la l**i**dïa; la nobiLY**a**da |
| Provoquer le taureau; l'immobiliser | *Citar al toro; fijarlo* | TH**i**t**a**r al t**o**ro; fi-RH**a**rlo |

| | | |
|---|---|---|
| Piquer le taureau. Le coup de corne | *Picar al toro. La cornada (la cogida)* | pikar al toro. la kornada (la koRHida) |
| Planter la banderille | *Clavar la banderilla* | klabar la banndériLYa |
| La mise à mort | *La suerte de espada (de matar)* | la souérté dé ésspada (dé matar) |
| Offrir le sacrifice du taureau | *Brindar el toro* | brinndar él toro |
| Les sifflets. Le chahut. Les applaudissements | *Los pitos. La bronca. Las palmas* | loss pitoss. la bronnka. lass palmass |
| Le poignard. Le poignardeur | *La puntilla. El puntillero* | la pounntiLYa. él pountiLYéro |
| L'enlèvement du taureau mort; le traîner | *El arrastre; arrastrarlo* | él arrasstré; arrasstrarlo |

# CAMPAGNE — MONTAGNE — MER

## LA CAMPAGNE : GÉNÉRALITÉS

Je voudrais faire une promenade à pied (à cheval, en voiture)

*Quisiera dar un paseo a pie (a caballo, en coche)*

kissïéra dar ounn passéo a pïé ( a kabaLYo, énn kotché)

Allons de ce côté

*Vamos hacia ese lado*

bamoss aTHïa éssé lado

Y a-t-il d'agréables promenades à faire dans les environs ?

*¿Se pueden dar paseos agradables por los alrededores?*

¿sé pouédenn dar passéoss agradabléss por loss alrredédoréss?

Comment peut-on aller jusqu'aux grottes d'Altamira (jusqu'au Duero) ?

*¿Cómo se puede ir hasta las cuevas de Altamira (hasta el Duero)?*

¿komo sé pouédé ir assta lass kouébass dé altamira (assta él douéro)?

J'aimerais visiter votre ferme

*Me gustaría visitar su granja*

mé gousstarïa bisitar sou grannRHa

Donnez-moi de l'eau fraîche du puits

*Déme agua fresca del pozo*

démé agoua frésska dél poTHo

L'arbre; l'arbrisseau

*El árbol; el arbolillo*

él arbol; él arboliLYo

Le château

*El castillo*

él kasstiLYo

La colline

*La colina*

la kolina

L'étang; la mare; le lac

*El estanque; la charca; el lago*

él ésstannké; la tcharka; él lago

La ferme

*La granja*

la grannRHa

| | | |
|---|---|---|
| Le fermier | *El granjero* | él grannRHéro |
| La forêt; le bois | *La selva; el bosque* | la sélba; él bosské |
| La vendange | *La vendimia* | la vénndimia |
| La vigne; le raisin | *La vid; la uva* | la bid; la ouba |

## LA MONTAGNE

| | | |
|---|---|---|
| Peut-on pratiquer l'alpinisme ici? | *¿Se puede practicar el montañismo (el alpinismo) aquí?* | ¿sé pouédé praktikar él monntagnissmo (el alpinismo) aki? |
| Aurons-nous besoin de cordes? | *¿Nos harán falta cuerdas?* | ¿noss arann falta kouérdass? |
| Le temps est-il favorable? | *¿Está propicio el tiempo?* | ¿essta propiTHïo él tïémmpo? |
| Où pourrons-nous trouver des guides? | *¿Dónde podremos encontrar guías?* | ¿donndé podrémoss énnkonntrar guïass? |
| J'aimerais faire quelques escalades faciles | *Me gustaría efectuar algunas escaladas fáciles* | mé gousstaria éféktouar algounass ésskaladass faTHiléss |
| Est-ce que nous pouvons faire sécher nos vêtements? | *¿Podemos secar nuestra ropa?* | ¿podémoss sékar nouésstra rropa? |
| L'hôtel peut-il nous préparer un repas froid? | *¿Puede prepararnos el hotel una comida fría?* | ¿pouédé prépararnoss él otél ouna komida fria? |
| L'aigle | *El águila* | él aguila |
| L'aiguille | *El picacho* | él pikatcho |
| L'alpinisme | *El alpinismo* | él alpinismo |

| | | |
|---|---|---|
| L'ascension | *La ascensión* | la assTHénnssïonn |
| L'avalanche | *El alud (la avalancha)* | la aloud (la abalanntcha) |
| Le bivouac | *El vivac* | él bibak |
| Le brancard | *Las andas (la camilla)* | lass anndass (la kamiLYa) |
| Les brodequins | *Los borceguíes* | loss borTHéguïéss |
| La brume | *La bruma* | la brouma |
| Le chandail | *El jersey* | él RHérsséï |
| La corde; la cordée | *La cuerda; la cordada* | la kouérda; la kordada |
| Le crampon | *El crampón* | él krammponn |
| La crevasse | *La grieta* | la grïéta |
| La descente en rappel | *El descenso con cuerda* | él dessTHénnsso konn kouérda |
| Dévisser | *Despeñarse* | désspégnarssé |
| L'éboulis | *El desprendimiento* | él déssprénndimïénnto |
| L'escalade | *La escalada* | la ésskalada |
| Être bloqué | *Estar bloqueado* | esstar blokéado |
| Être sur la trace | *Estar sobre la pista...* | esstar sobré la pissta... |
| Franchir un couloir | *Salvar un corredor* | salbar un korrédor |
| La gelure | *La congelación* | la konnRHé laTHïonn |
| Le glacier | *El ventisquero (el glaciar)* | él bénntisskéro (él glaTHïar) |
| Glisser | *Resbalar. Deslizarse* | réssbalar. désliTHarssé |
| Le guide | *El guía* | él guïa |
| La météorologie | *La meteorología* | la météoroloRHïa |
| La paroi | *La pared* | la paré |
| La pente | *La pendiente* | la pénndïénnté |

| Le piolet | El piolet. La piqueta | él pïolé. la pikéta |
| Le piton | El pitón (la clavija de escala) | él pitonn (la klabiRHa dé ésskala) |
| Le poste de secours | El puesto de socorro | él pouéssto dé sokorro |
| Le précipice | El precipicio | él préTHipiTHïo |
| Le ravin | La quebrada. El barranco | la kébrada. él barrannko |
| Le réchaud | El infiernillo | él innfïerniLYo |
| Le refuge | El refugio | él rréfouRHïo |
| La roche | La roca (peña) | la rroka (pégna) |
| Le sac à dos | La mochila | la motchila |
| Les secouristes | Los socorristas | loss sokorrisstass |
| Le sommet | La cumbre | la koummbré |
| La tente | La tienda de campaña | la tïénnda dé kammpagna |
| Le torrent | El torrente | él torrénnté |
| La vallée | El valle | él baLYé |

## LA MER

| Où se trouve la plage ? Loin d'ici ? | ¿Dónde se encuentra la playa? ¿lejos de aquí? | ¿donndé sé énnkouénntra la playa? ¿léRHoss dé aki? |
| Y a-t-il du sable, du gravier ? | ¿Hay arena, guijo? | ¿aï aréna, guiRHo? |
| Peut-on louer une cabine ? | ¿Se puede alquilar una caseta? | ¿sé pouédé alkilar ouna kasséta? |
| Y a-t-il des maîtres nageurs ? | ¿Hay bañeros? | ¿aï bagnéross? |

| Y a-t-il un parasol (un transatlantique)? | ¿Hay un quitasol (una tumbona)? | ¿aï oun kitassol (ouna toummbona)? |
| La plage est-elle dangereuse? | ¿Es peligrosa la playa? | ¿ess péligrossa la playa? |
| Jusqu'où a-t-on pied? | ¿Hasta dónde se hace pie? | ¿assta donndé sé aTHé pïé? |
| Peut-on faire de la pêche sous-marine (du ski nautique)? | ¿Se puede practicar la pesca submarina (el esquí acuático)? | ¿sé pouédé praktikar la pésska soubmarina (él ésski akouatiko)? |
| Au secours! Je me noie! | ¡Socorro! ¡Que me ahogo! | ¡sokorro! ¡ké mé aogo! |
| Peut-on louer un bateau de plaisance? | ¿Se puede alquilar un barco de recreo? | ¿sé pouédé alkilar ounn barko dé rrékréo? |
| Comment est l'eau, aujourd'hui? | ¿Cómo está el agua, hoy? | ¿komo éssta él agoua, oï? |
| Se baigner | Bañarse | bagnarssé |
| Le bain de soleil | El baño de sol | él bagno dé sol |
| Le bateau | El barco | él barko |
| La bouée | La boya | la boya |
| Bronzé | Bronceado (tostado) | bronnTHéado (tosstado) |
| La cabine | La caseta | la kasséta |
| La digue | El dique; el malecón | él diké; él malékonn |
| Le drapeau rouge | La bandera roja | la banndéra rroRHa |
| Les galets | Los guijarros | loss guiRHarross |
| Le maillot de bain | El bañador | él bagnador |
| Le maître nageur | El bañero | él bagnéro |

| La marée montante (descendante) | La marea creciente (menguante) | la maréa kréTHiénnté (ménngouannté) |
|---|---|---|
| Le masque de plongée | Las gafas de bucear | lass gafass de bouTHéar |
| Nager | Nadar | nadar |
| Se noyer | Ahogarse | aogarssé |
| Les palmes | Las aletas | lass alétass |
| Le parasol | El parasol. El quitasol | él parassol. él kitassol |
| La pêche côtière | La pesca de bajura | la pésska dé baRHoura |
| Le peignoir | El albornoz | él albornoTH |
| La piscine | La piscina | la pissTHina |
| Le plongeoir | El trampolín | él trammpolinn |
| Plonger; le plongeon | Tirarse (zambullirse); el salto (la zambullida) | tirarssé (THammboulYirssé); él salto (la THammboulYida) |
| Les rafraîchissements | Los refrescos | loss rréfrésskoss |
| Le rocher | El peñasco | él pégnassko |
| Le sable | La arena | la aréna |
| Les sandales | Las sandalias | la sanndalïass |
| La serviette | La toalla | la toalYa |
| La tente | La tienda | la tïénnda |
| Le tourbillon | El remolino (torbellino) | él rrémolino (torbélYino) |
| La vague | La ola | la ola |

# CORPS — MALADIES — SOINS
## LE CORPS — LES SENS

| | | |
|---|---|---|
| La bouche | *La boca* | la b**o**ka |
| Le bras | *El brazo* | él br**a**THo |
| Le cœur | *El corazón* | él koraTH**o**nn |
| Le cou | *El cuello* | él kou**é**LYo |
| Le doigt | *El dedo* | él d**é**do |
| Le dos | *Las espaldas* | lass éssp**a**ldass |
| L'épaule | *El hombro* | él **o**mmbro |
| L'estomac | *El estómago* | él éss**to**mago |
| Le foie | *El hígado* | él h**i**gado |
| Le genou | *La rodilla* | la rod**i**LYa |
| Le goût | *El gusto* | él g**ou**ssto |
| La jambe | *La pierna* | la pi**é**rna |
| La joue | *El carrillo* | él karr**i**LYo |
| La lèvre | *El labio* | él l**a**bio |
| La main | *La mano* | la m**a**no |
| Le nez | *La nariz* | la nar**i**TH |
| L'odorat | *El olfato* | él olf**a**to |
| L'œil | *El ojo* | él **o**RHo |
| L'oreille | *La oreja* | la ore**RH**a |
| L'ouïe | *El oído* | él o**i**do |
| Le pied | *El pie* | él pi**é** |
| La poitrine | *El pecho* | él p**é**tcho |
| Le rein | *El riñón* | él rign**o**nn |
| La tête | *La cabeza* | la kab**é**THa |
| Le toucher | *El tacto* | él t**a**kto |
| Le ventre | *El vientre* | él vi**é**nntré |
| La vue | *La vista* | la b**i**ssta |

## MALADIES

| | | |
|---|---|---|
| L'abcès | *El absceso* | él abssTHésso |
| L'angine | *La angina* | la anRHina |
| L'appendicite | *La apendicitis* | la apénndiTHitiss |
| Aveugle | *Ciego* | THïégo |
| La brûlure | *La quemadura* | la kémadoura |
| La constipation | *El estreñimiento* | él ésstrégnimiénnto |
| La contagion | *El contagio* | él konntaRHïo |
| La convalescence | *La convalecencia* | la konnbaléTHénnTHïa |
| La diarrhée | *La diarrea* | la dïarréa |
| La diète | *La dieta* | la dïéta |
| La douleur | *El dolor* | él dolor |
| L'enflure | *La hinchazón* | la inntchaTHonn |
| L'entorse | *La torcedura* | la torTHédoura |
| L'éruption | *La erupción* | la éroupTHïonn |
| L'évanouissement | *El desmayo* | él dessmayo |
| La fièvre | *La fiebre* | la fïébré |
| La foulure | *El esguince* | él ésguinnTHé |
| La fracture | *La fractura* | la fraktoura |
| La grippe | *La gripe* | la gripé |
| L'indigestion | *La indigestión* | la inndiRHésstïonn |
| L'inflammation | *La inflamación* | la innflamaTHïonn |
| L'insomnie | *El insomnio* | él innsommnïo |
| Les maux de tête | *Los dolores de cabeza* | loss doloréss dé kabéTHa |
| Les maux de ventre | *Los dolores de vientre* | loss doloréss dé bïénntré |
| Le malade | *El enfermo* | él énnférmo |

| Le mal de mer | El mareo | él maréo |
| Le malaise | El malestar | él malestar |
| Le médicament | La medicina | la médiTHina |
| La migraine | La jaqueca | la RHakéka |
| Muet | Mudo | moudo |
| La névralgie | La neuralgia | la néouralRHïa |
| L'opération | La operación | la opéraTHïonn |
| L'ordonnance | La receta | la rréTHéta |
| La rechute | La recaída | la rrékaïda |
| Le rhume de cerveau | El constipado | él konnsstipado |
| Sourd. Sourd-muet | Sordo. Sordomudo | sordo. sordomoudo |
| La surdité | La sordera | la sordéra |
| La température | La temperatura (la calentura) | la témmpératoura (la kalénntoura) |
| La toux | La tos | la toss |
| Le vomissement | El vómito | él bomito |

## LE MÉDECIN

| Pouvez-vous me donner l'adresse d'un médecin? | ¿Puede darme las señas de un médico? | ¿pouédé darmé lass ségnass dé ounn médiko? |
| Pouvez-vous faire appeler un médecin, s'il vous plaît? | ¿Puede mandar (llamar) a un médico, por favor? | ¿pouédé manndar (LYamar) a ounn médiko, por fabor? |
| Recevez-vous tous les jours? | ¿Recibe Vd. todos los días? | ¿rréTHibé ousté todoss loss dïass? |
| A quelle heure? | ¿A qué hora? | ¿a ké ora? |
| Je ne me sens pas bien | No me siento bien | no mé siénnto bïénn |

| | | |
|---|---|---|
| J'ai souvent mal à la tête | A menudo me duele la cabeza | a ménoudo mé douélé la kabéTHa |
| Je vomis tous les matins | Vomito cada mañana | bomito kada magnana |
| Je tousse beaucoup | Toso mucho | tosso moutcho |
| J'ai la gorge irritée | Tengo la garganta irritada | ténngo la gargannta irritada |
| Je dors mal | Duermo mal | douérmo mal |
| J'ai l'estomac lourd après les repas | Después de comer tengo el estómago pesado | désspouéss dé komér ténngo él ésstomago péssado |
| J'ai des brûlures d'estomac | Siento ardores de estómago | sïénnto ardoréss dé ésstomago |
| J'ai un peu de fièvre | Tengo un poco de fiebre | ténngo ounn poko dé fïébré |
| J'ai des troubles intestinaux | Padezco trastornos intestinales | padéTHko trasstornoss inntésstinaléss |
| Je suis constipé | Estoy estreñido | esstoï ésstrégnido |
| J'ai fait une chute et j'ai mal au bras | Me he caído y me duele el brazo | mé é kaïdo i mé douéle él braTHo |
| Je boite | Cojeo | koRHéo |
| Je suis très enrhumé | Estoy muy acatarrado | esstoï mouï akatarrado |
| J'ai pris froid | He cogido frío | é koRHido frío |
| Pourrai-je continuer mon voyage ? | ¿Podré proseguir el viaje? | ¿podré prosséguir él bïaRHé? |
| Quand dois-je revenir ? | ¿Cuando habré de volver? | ¿kouanndo abré dé bolbér? |
| Combien vous dois-je ? | ¿Cuánto le debo? | ¿kouannto lé débo? |
| Est-ce une maladie contagieuse ? | ¿Es una enfermedad contagiosa? | ¿ess ouna énnférméda konntaRHïossa? |

| Je voudrais faire une radiographie | Quisiera hacer una radiografía | kissiéra aTHér ouna radïografïa |
|---|---|---|
| J'ai cassé mes lunettes | Me he roto las gafas | mé é rroto lass gafass |

## LE PHARMACIEN

| Pouvez-vous préparer cette ordonnance ? | ¿Puede Vd. preparar esta receta? | ¿pouédé oussté préparar éssta rréTHéta? |
|---|---|---|
| Quand pourrai-je venir chercher les médicaments ? | ¿Cuando podré volver por las medicinas? | ¿kouanndo podré bolbér por lass médiTHinass? |
| J'ai besoin de quelque chose contre la toux (les maux de gorge, le rhume, la grippe) | Necesito algo contra la tos (los dolores de garganta, el resfriado, la gripe) | néTHéssito algo konntra la toss (loss doloréss dé gargannta, él rréssfriado, la gripé) |

| Je voudrais me peser | Quisiera pesarme | kissiéra péssarmé |
|---|---|---|
| L'aspirine | La aspirina | la asspirina |
| La bande; le bandage | La venda; el apósito | la bénnda; él apossito |
| Le bismuth | El bismuto | él bismouto |
| Le calcium | El calcio | él kalTHïo |
| Le calmant | El calmante | él kalmannté |
| Le collyre | El colirio | él kolirïo |
| La compresse | La compresa | la kommpréssa |
| Le comprimé | El comprimido | él kommprimido |
| Le compte-gouttes | El cuentagotas | él kouénntagotass |
| Le coton hydrophile | El algodón hidrófilo | él algodonn idrofilo |
| Le dentifrice | El dentífrico | él dénntifriko |
| L'eau minérale | El agua mineral | él agoua minéral |
| L'éther | El éter | él étér |

| | | |
|---|---|---|
| Le gargarisme | El gargarismo; las gárgaras | él gargarismo; lass gargarass |
| La gaze stérilisée | La gasa esterilizada | la gassa ésstériliTHada |
| L'infirmier | El enfermero | él énnférméro |
| Le laxatif | El laxante | él laksannté |
| La magnésie | La magnesia | la magnéssïa |
| L'ordonnance | La receta | la rréTHéta |
| Le pansement | La cura | la koura |
| Les pastilles | Las pastillas | lass pastiLYass |
| La pénicilline | La penicilina | la péniTHilina |
| La pharmacie | La farmacia (botica) | la farmaTHïa (botica) |
| Le pharmacien | El farmacéutico | él farmaTHéoutiko |
| La pilule | La píldora | la píldora |
| La piqûre | La inyección | la innyékTHïonn |
| La pommade | La pomada | la pomada |
| La poudre | El polvo | él polbo |
| Le somnifère | El somnífero | él sommníféro |
| Le sparadrap | El esparadrapo | él éssparadrapo |
| Le sulfamide | La sulfamida | la soulfamida |
| Le suppositoire | El supositorio | él soupossitorïo |
| Le thermomètre | El termómetro | él térmométro |

## LE DENTISTE

| | | |
|---|---|---|
| J'ai une dent qui me fait mal | Me duele una muela | mé douélé ouna mouéla |
| Le plombage de cette dent est tombé | Se ha caído el empaste de este diente | sé a kaïdo él émmpassté dé éssté dïénnté |

| | | |
|---|---|---|
| Cette dent est très sensible au chaud (au froid) | *Este diente es muy sensible al calor (al frío)* | essté dïennté éss mouï sénnssiblé al kalor (al frïo) |
| Pouvez-vous la sauver? | *¿Puede Vd. salvarlo?* | ¿pouédé oussté salbarlo? |
| Arracher une dent | *Sacar un diente* | sakar ounn dïennté |
| L'anesthésie | *La anestesia* | la anésstéssïa |
| Le bridge | *El puente* | él pouénnté |
| La canine | *El colmillo* | él kolmiLYo |
| La carie | *La caries* | la karïéss |
| Carié; gâté | *Cariado; picado* | karïado; pikado |
| La couronne en or | *La corona de oro* | la korona dé oro |
| La fausse dent | *El diente postizo* | él dïennté posstiTHo |
| La dent de sagesse | *La muela del juicio* | la mouéla dél RHouï-THïo |
| Le dentier | *La dentadura postiza* | la dénntadoura posstiTHa |
| Le dentiste | *El dentista* | él dénntissta |
| L'extraction | *La extracción* | la ésstrakTHïonn |
| Les gencives | *Las encías* | lass énnTHïass |
| L'incisive | *El diente* | él dïennté |
| Les maux de dents | *El dolor de muelas* | él dolor dé mouélass |
| La molaire | *La muela* | la mouéla |
| L'obturation (le plombage) | *La obturación (el empaste)* | la obtouraTHïonn (él émmpassté) |
| La prémolaire | *El premolar* | él prémolar |
| La prothèse dentaire | *La prótesis dental* | la protéssiss dénntal |
| La racine | *La raíz* | la rraïTH |

# AFFAIRES-COMMERCE

| | | |
|---|---|---|
| En date du trois courant | *Con fecha del tres del corriente* | konn fétcha dél tréss dél korrïénnté |
| Nous accusons réception de votre honoré du cinq écoulé | *Le acusamos recibo de su grata del cinco del pasado mes* | lé akoussamoss rréTHïbo dé sou grata dél THinnko dél passado méss |
| Veuillez agréer l'assurance de mes sentiments distingués | *Le saludo atentamente* | lé salouDo aténntaménnté |
| Dans l'attente de votre réponse... | *En espera de sus gratas noticias...* | enn ésspéra dé souss gratass notiTHïass... |
| Nous avons l'honneur de vous faire savoir... | *Tenemos el honor de comunicarle...* | ténémoss él onor dé komounikarlé... |
| Je soussigné, déclare que... | *El que suscribe (el abajo firmante) declara que...* | él ké sousskribé (él abaRHo firmannté) déklara ké... |
| Déduction faite de tous frais | *Con deducción de todos los gastos* | konn dédoukTHïonn dé todoss loss gasstoss |
| Nous vous saurions gré de nous envoyer... | *Le agradeceríamos nos mande...* | lé agradéTHérïamoss noss mannldé... |
| Je vous informe que... | *Le comunico (le participo) que...* | lé komouniko (lé partiTHipo) ké... |
| Insérer une annonce dans un journal | *Insertar un anuncio en un periódico* | innssértar ounn anounnTHïo énn ounn périodiko |

| Conformément à (dans l'attente de) vos instructions... | Con arreglo a (en espera de) sus instrucciones.. | konn arréglo a (énn ésspéra dé) souss innsstroukTHïonéss. |
| Prendre note d'une commande | Tomar nota de un pedido | tomar nota dé ounn pédido |
| Veuillez annuler notre commande | Sírvase anular nuestro pedido | sirbassé anoular nouésstro pédido |
| L'acompte | La cantidad a cuenta | la kanntida a kouénnta |
| L'achat | La compra | la kommpra |
| L'action | La acción | la akTHïonn |
| L'affaire | El negocio | él négoTHïo |
| L'article | El artículo | él artikoulo |
| L'assurance | El seguro | él ségouro |
| L'avance | El anticipo | él anntiTHipo |
| L'avis d'expédition | El aviso de envío | él abisso dé énnbïo |
| L'avoir | El haber | él abér |
| La baisse | La baja | la baRHa |
| Balancer un compte | Hacer el balance de una cuenta | aTHér él balannTHé dé ouna kouénnta |
| La banque | El banco | él bannko |
| Le bénéfice | El beneficio | él bénéfiTHïo |
| Le brevet | La patente | la paténnté |
| Brut | Bruto | brouto |
| Le bureau | La oficina; el despacho | la ofiTHina; él désspatcho |
| La caisse | La caja | la kaRHa |
| Le capital | El capital | él kapital |
| La caution | La fianza | la fïannTHa |

| Le certificat | El certificado | él THértifikado |
| Le change | El cambio | él kammbïo |
| Le chèque (barrer, annuler, émettre) | El cheque (cruzar, anular, expedir) | él tchéké (krouTHar, anoular, ésspédir) |
| La commande | El pedido; el encargo | él pédido; él énnkargo |
| Le commerce | El comercio | él komérTHïo |
| La commission | La comisión | la komissïonn |
| Comptant | Al contado | al konntado |
| Le compte courant | La cuenta corriente | la kouénnta korrïénnté |
| La concurrence | La competencia | la kommpéténnTHïa |
| Les conditions | Las condiciones | lass konndiTHïonéss |
| Le contrat | El contrato | él konntrato |
| Copie certifiée conforme | Copia fiel al original | kopïa fïél al oriRHinal |
| Le cours | La cotización; el cambio | la kotiTHaTHïonn; él kammbïo |
| Le coût | El coste | él kossté |
| Le crédit | El crédito | él krédito |
| Le débit | El debe | él débé |
| Le délai | El plazo | él plaTHo |
| La dette | La deuda | la déouda |
| Le devis | El presupuesto | él préssoupouéssto |
| Les dommages-intérêts | Los daños y perjuicios | loss dagnoss i pérRHouïTHïoss |
| L'échéance | El vencimiento | él bénnTHimïénnto |
| L'effet de commerce | El efecto de comercio | él éfékto dé komérTHïo |
| L'emballage | El embalaje; el envase | él émmbalaRHé; él ennbassé |

| L'émission | La emisión | la émissïonn |
| L'emprunt | El empréstito | él émmpréstito |
| L'entreprise | La empresa | la émmpréssa |
| L'escompte | El descuento | él désskouénnto |
| La facture | La factura | la faktoura |
| La faillite | La quiebra | la kïébra |
| Les frais | Los gastos | loss gasstoss |
| En franchise | En franquicia | enn frannkiTHïa |
| La garantie | La garantía | la garanntïa |
| La hausse | El alza | él alTHa |
| L'impôt | El impuesto | él immpouéssto |
| L'indemnité | La indemnización | la inndémni-THaTHïonn |
| L'intérêt | El interés | él inntéréss |
| L'investissement | La inversión | la innbérssïonn |
| La lettre de crédit | La carta de crédito | la karta dé krédito |
| Livrer | Entregar | enntrégar |
| Le marché | El mercado | él mérkado |
| Marque déposée | Marca registrada | marka rréRHisstrada |
| Le montant | El importe | él immporté |
| Net (liquide) | Neto (líquido) | néto (likido) |
| L'obligation | La obligación | la obligaTHïonn |
| L'offre et la demande | La oferta y la demanda | la oférta i la déma-nnda |
| L'or; étalon-or | El oro; el patrón oro | él oro; él patronn oro |
| L'ordre de vente | La orden de venta | la ordénn dé bénnta |
| Le paiement | El pago | él pago |
| La perte | La pérdida | la pérdida |
| Port dû (payé) | Porte debido (pagado) | porté débido (pagado) |
| Le prix | El precio | él préTHïo |

| La procuration | *El poder* | él podér |
| La promesse de vente | *La promesa de venta* | la promésa dé bénnta |
| La publicité | *La publicidad* | la poubliTHida |
| La quittance | *El recibo* | él rréTHibo |
| La réception | *La recepción* | la rréTHépTHïonn |
| La réclamation | *La reclamación* | la rréklamaTHïonn |
| La réduction | *La reducción* | la rrédoukTHïonn |
| Le règlement | *El reglamento* | él rréglaménnto |
| Le risque | *El riesgo* | él rrïéssgo |
| La société anonyme | *La sociedad anónima* | la soTHïéda anonima |
| Le solde | *El saldo* | él saldo |
| Les stocks | *Las existencias* | lass éksssisténnTHïass |
| Le tarif | *La tarifa; el arancel* | la tarifa; él arann-THél |
| Le taux d'intérêt | *El tipo de interés* | él tipo dé inntéréss |
| La traite (acceptée ou protestée) | *La letra (aceptada o protestada)* | la létra (aTHéptada o protésstada) |
| La valeur | *El valor* | él balor |
| Vendre | *Vender* | bénnder |
| La vente | *La venta* | la bénnta |

# NOMS GÉOGRAPHIQUES

| | | |
|---|---|---|
| L'Afrique | *Africa* | **a**frika |
| L'Amérique du Nord | *Norteamérica* | nortéam**é**rika |
| L'Amérique du Sud | *Sudamérica* | soudam**é**rika |
| L'Amérique Centrale | *Centroamérica* | THénntroam**é**rika |
| L'Argentine, Argentin | *La Argentina, argentino* | la arRH**é**nnt**i**na, ar-RH**é**nnt**i**no |
| | | |
| L'Asie | *Asia* | **a**ssia |
| Le Douro | *El Duero* | él dou**é**ro |
| L'Ebre | *El Ebro* | él **é**bro |
| L'Espagne, Espagnol | *España, español* | **é**sspagna, ésspagn**o**l |
| L'Europe | *Europa* | **é**our**o**pa |
| La France, Français | *Francia, francés* | fra**nn**THia, franTH**é**ss |
| Le Mexique, Mexicain | *Méjico, mejicano* | m**é**RHiko, méRHik**a**no |
| L'Océanie | *Oceanía* | oTHéan**ï**a |
| Le Pays basque | *El País vasco* | él pa**ï**ss b**a**ssko |
| Les Pyrénées, Pyrénéen | *El Pirineo, pirenaico* | él pirin**é**o, pirén**a**ïko |
| Le Tage | *El Tajo* | él t**a**RHo |

# MEMENTO GRAMMATICAL

## I — L'ARTICLE

### 1 — L'article défini :

Il a les même fonctions syntaxiques que son équivalent français.

|  | Masculin | Féminin |
|---|---|---|
| Singulier | el | la |
| Pluriel | los | las |

— **El**, article masculin singulier, se contracte avec les prépositions **a** et **de**, donnant **al** (au) et **del** (du).

— Devant un nom féminin commençant par **a** *accentué* ou par **ha**, l'article prend la forme masculine : *el águila, el hacha, el hambre, el agua*, etc.

— On emploie l'article devant les mots *señor, señora* et *señorita. La señora no está* : « Madame n'est pas là ».

— On se sert aussi de l'article pour indiquer l'heure.
Ex. : *Son las tres* : « il est trois heures ».

— L'article défini est très rare devant les noms de pays, de provinces ou de continents.
Ex. : ¡ *viva Francia!* : « vive la France ». *América es rica* : « l'Amérique est riche ».

— L'article partitif n'existe pas en espagnol : *quiero vino* : « je veux du vin ».

## 2 — L'article indéfini :
## L'absence d'article pour le partitif.

| | INDÉFINI | | PARTITIF |
|---|---|---|---|
| | Masculin | Féminin | « du » « de la » **pas d'article** |
| Singulier | « un » **un** | « une » **una** | |
| Pluriel « des » | **unos** | **unas** | |
| | pas d'article | | |

a) *Singulier :*

— Indéfini : devant un nom féminin commençant par **a** *accentué* ou **ha** on préfère la forme masculine **un** à la forme **una** : *un alma, un arca, un águila,* etc.

— Partitif : **absence d'article** en espagnol : *quiero vino* : « Je veux du vin ».

b) *Pluriel :* au français **des** (de valeur indéfinie ou partitive) correspond en espagnol, en règle générale, **l'absence d'article.**

Le pluriel **unos** et **unas** s'utilise devant un nom désignant deux objets qui vont ensemble, une paire, et dans le sens partitif de « quelques » : *compró unos zapatos* : « il acheta des chaussures », mais : *compró libros* : « il acheta des livres ».

## II — LE NOM ET LES PRÉPOSITIONS

### 1 — Le nom:

a) *Le genre.* Les noms espagnols ont très souvent le même genre qu'en français, mais il y a beaucoup d'exceptions : *la leche* : « le lait », *el puré* : « la purée », *el dique* : « la digue », *el tomate* : « la tomate ».

— Sont masculins les noms terminés en **o** ou en **or**, sauf *la manò, la moto, la dinamo, la magneto, la radio, la flor, la coliflor, la labor, la sor*, etc...

— Sont féminins les noms en **a**, sauf de nombreuses exceptions telles que *el día* (le jour), *el mapa* (la carte), etc., et pas mal de mots d'origine grecque comme *el problema, el poeta*, etc... Le passage du masculin au féminin se fait très souvent par substitution d'une finale **-a** à une finale **-o**, ou par addition de **-a** à une finale consonantique : *gato- gata* : « chat - chatte » ; *león - leona* : « lion - lionne ».

b) *Le nombre*. Au pluriel, les noms terminés par une voyelle atone ou un **é** accentué prennent la terminaison **-s**.

Ex. : *Niño* : « enfant », *niños; mesa* : « table », *mesas; baile* : « danse », *bailes; café* : « café », *cafés*.

Les noms terminés par une voyelle accentuée autre que **é** ou une consonne autre que **s** (les noms en **-s** , accentués sur l'avant-dernière ou l'antépunultième syllabe, sont invariables : *lunes, los lunes*) prennent la terminaison **-es**..

Ex. : *ananá* : « ananas », *ananaes; avión* : « avion », *aviones; lápiz* : « crayon », *lápices* (avec changement obligatoire de **z** en **c** dans l'écriture pour le même son **TH**).

## 2 — Les prépositions :

La plupart des prépositions espagnoles ne présentent guère de difficultés, mais il en est qui prêtent à confusion.

**A** : indique le mouvement ou la direction après les verbes de mouvement.

Ex. : *Vamos a la ciudad* : « nous allons en ville ».
      *Marchó a Portugal* : « il est parti au Portugal ».
      *Hemos ido a cenar* : « nous sommes allés dîner ».
      *Se dirigen a casa* : « ils se dirigent vers la maison ».

Mais **a** sert aussi à introduire le complément d'objet direct, lorsqu'il s'agit de noms de personnes, d'animaux déterminés ou, éventuellement, de choses personnifiées.

Ex. : *Busco a mi mujer* : « je cherche ma femme ».
      *Busco a tu perro* : « je cherche ton chien».

**Con** se traduit en général par **avec**, mais peut correspondre à **de** devant un complément de manière.

Ex. : *Está con su amigo* : « il est avec son ami ».
      *Mirar con buenos ojos* : « regarder d'un bon œil ».

**De** indique la possession comme **de** ou la caractéristique comme **à** en français.

> Ex. : *La casa de mis padres* : « la maison de mes parents ».
> *La casa del tejado negro* : « la maison au toit noir ».

**En** introduit des compléments de lieu (avec valeur statique), de temps ou de manière et correspond à **à, en** et **dans.**

> Ex. : *Vivo en mi casa* : « j'habite chez moi », *en el 38* : « au 38 », *en Francia* : « en France », *en tu calle* : « dans ta rue », *en Paris* : « à Paris ».

**Para** indique finalité ou direction et correspond à **pour, vers, à,** mais jamais à **par.**

> Ex. : *El regalo es para Juan* : « le cadeau est pour Jean ».
> *Volvamos para casa* : « rentrons à la maison ».
> *¿ Va usted para Madrid?* : « allez-vous vers Madrid? ».

**Por** introduit des compléments très divers et correspond, généralement, à **par,** quelquefois à **pour**

> Ex. : *Pasaremos por Bilbao* : « nous passerons par Bilbao ».
> *Por tu culpa* : « par ta faute ».
> *Trabajo por necesidad* : « je travaille par nécessité ».

# III — LES PRONOMS

## 1 — Les pronoms personnels :

a) *Les pronoms sujets.*

|  | Singulier | | Pluriel |
|---|---|---|---|
| 1re personne | **yo** (je, moi) | Masculin<br>Féminin | **nosotros** (nous)<br>**nosotras** |
| 2e personne | **tú** (tu, toi) | Masculin<br>Féminin | **vosotros** (vous)<br>**vosotras** |
| 3e personne | **él** (il, lui)<br>**ella** (elle)<br>**ello** (cela) | Masculin<br>Féminin<br>Neutre | **ellos** (ils, eux)<br>**ellas** (elles) |

— Les pronoms sujets s'emploient surtout pour insister fortement ou pour marquer une opposition.

Ex. : *No irás* : « tu n'iras pas »; *tú, no irás* : « toi, tu n'iras pas ».

Le **vous** de politesse se rend par **usted** (singulier) et **ustedes** (pluriel), contractions des anciennes formes : **vuestra merced** ( « votre grâce ») et **vuestras mercedes** (vos grâces), d'où la construction de la phrase à la 3ᵉ personne.

Ex. : *¿ Vendrá usted con su esposa?* : « viendrez-vous avec votre épouse? ».

b) *Les pronoms compléments.*

|  |  | Objet direct | Objet indirect | Préposi-tionnel | Réfléchi |
|---|---|---|---|---|---|
| 1ʳᵉ p. sing. |  | me | me | mí | me |
| 2ᵉ p. sing. |  | te | te | ti | te |
| 3ᵉ p. sing. | Masculin<br>Féminin<br>Neutre | le, lo<br>la<br>lo | le, se<br>le, se<br>le, se | él, sí<br>ella, sí<br>ello, sí | se<br>se<br>se |
| 1ʳᵉ p. pl. | Masculin<br>Féminin | nos<br>nos | nos<br>nos | nosotros<br>nosotras | nos<br>nos |
| 2ᵉ p. pl. | Masculin<br>Féminin | os<br>os | os<br>os | vosotros<br>vosotras | os<br>os |
| 3ᵉ p. pl. | Masculin<br>Féminin | los<br>las | les, se<br>les, se | ellos, sí<br>ellas, sí | se<br>se |

— Le pronom complément se place avant le verbe, sauf à l'impératif, au gérondif et à l'infinitif (temps auxquels il se soude obligatoirement dans l'écriture).

Ex. : Le veo : « je le vois ». Presentarse : « se présenter ».

— Le pronom complément d'objet direct suit le pronom complément d'objet indirect.

Ex. : *Dímelo* : « dis-le moi ». *Dánosla* : « donne-la nous ».

Le pronom d'objet indirect **se** est utilisé quand les deux compléments d'un verbe appartiennent à la 3e personne.

Ex. : *Déselo* : « donnez-le lui ». *Se lo llevaré* « je le lui apporterai ».

— Le pronom prépositionnel **sí** est employé quand il désigne la même personne que le sujet.

Ex. : *Guarda todo para sí* : « il garde tout pour lui ».

Le pronom français **on** a pour équivalent en espagnol, suivant les cas, la 3e personne du pluriel, la forme réfléchie, le pronom **uno** ou la 1re personne du pluriel.

Ex. : « On dit » : dicen.
       « On parle espagnol » : se habla español.
c'est-à-dire « il se parle espagnol », le verbe se mettant au pluriel si le nom qui le suit, traité comme un sujet, est au pluriel.

Ex. : On voit les veaux : Se ven los terneros.
       « On n'entend pas » : uno no oye.
       « On est allé voir » : hemos ido a ver.

— Aux pronoms **en** et **y** correspondent en espagnol des tours explicites tels que « de cela », « à cela », etc...
       « On en parle » : se habla de ello.
Ex. : « Que peut-il y faire? » : ¿ Qué puede hacer a eso?

## 2 — Adjectifs et pronoms possessifs :

a) *Adjectifs possessifs.*

| Possesseur | Atone | Accentué | |
|---|---|---|---|
| 1<sup>re</sup> personne singulier | mi | mío<br>mía | Masculin<br>Féminin |
| 2<sup>e</sup> personne singulier | tu | tuyo<br>tuya | Masculin<br>Féminin |
| 3<sup>e</sup> personne singulier | su | suyo<br>suya | Masculin<br>Féminin |
| 1<sup>re</sup> personne pluriel | nuestro<br>nuestra | nuestro<br>nuestra | Masculin<br>Féminin |
| 2<sup>e</sup> personne pluriel | vuestro<br>vuestra | vuestro<br>vuestra | Masculin<br>Féminin |
| 3<sup>e</sup> personne pluriel | su | suyo<br>suya | Masculin<br>Féminin |

— On trouve deux formes pour l'adjectif possessif : l'une, atone, qui précède le nom; l'autre, accentuée, qui le suit avec valeur forte on fonctionnant comme attribut.

Ex. : *Es mi casa* : « c'est ma maison ».

     *Esta casa es mía* : « cette maison est à moi ».

— Le pluriel se forme en ajoutant un **-s** à la fin.

Ex. : *Mis casas* : « mes maisons ». *Las casas mías* : « les maisons à moi ».

b) *Pronom possessif.* Il a la même forme que l'adjectif accentué, mais il est précédé de l'article défini.

Ex. : *Esta casa es la mía* : « cette maison est la mienne ».

     *Coged los vuestros* : « prenez les vôtres ».

## 3 — Pronoms et adjectifs démonstratifs :

a) *Pronoms démonstratifs.*

| Masculin | | Féminin | | Neutre | Eloignement |
|---|---|---|---|---|---|
| éste | éstos | ésta | éstas | esto | ici |
|ése | ésos | ésa | ésas | eso | là |
| aquél | aquéllos | aquélla | aquéllas | aquello | là-bas |

— Le pronom neutre n'a pas de pluriel.

— Il y a trois degrés d'éloignement, qui correspondent aux adverbes de lieu ici, là et là-bas.

Ex. : *Este es más grande que aquéllos* : « celui-ci est plus grand que ceux-là, là-bas ».

— Au pronom français *celui* (*celle*, etc.) employé devant *de* ou un relatif correspond en espagnol l'article défini.

Ex. : « Celui qui vient » : *el que viene*.
« Celle d'en face » : *la de enfrente*.

— En général, il ne faut pas traduire le démonstratif qui précède le verbe être.

Ex. : « C'est très bien » : *está muy bien*.

b) *Adjectifs démonstratifs.*

— Se présentent sous la même forme que les pronoms correspondants, mais sans accent écrit. Il n'y a pas d'adjectif neutre.

Ex. : *Este libro es más grande que aquellos otros* : « ce livre-ci est plus grand que ces autres là-bas ».

## 4 — Pronoms relatifs et interrogatifs :

a) *Pronoms relatifs.*

**que** : peut être sujet (« qui ») ou complément (« que »), employé sans la préposition *a*.
Ex. : *Oigo al perro que ladra* : « j'entends le chien qui aboie ».
*Los hombres que he visto* : « les hommes que j'ai vus ».

**quien** (pl. quienes) : ne s'emploie que lorsque l'antécédent est un nom de personne. Complément, il est toujours précédé d'une préposition (**a quien**, pour le complément d'objet, alors qu'on emploie **que** sans a).
Ex. : *Fue a ti a quien te lo dije* : « c'est à toi que je l'avais dit ».
*El hombre a quien hablo* : « l'homme à qui je parle ».

**cuyo** (fém. **cuya**, pl. **cuyos, cuyas**) : marque une relation de possession entre deux noms et, traité comme un adjectif, s'accorde avec le nom qui le suit.
Ex. : *El hombre cuya casa visitamos* : « l'homme dont nous avons visité la maison ».
**— -Dont**, quand il n'est pas possessif, se traduit par **de quien, de que**, ou **del cual**.
Ex. : « La personne dont je te parle » : *la persona de que (de quien, de la cual) te hablo*.
**el cual** (fém. **la cual**, pl. **los cuales, las cuales**) : « lequel » (laquelle, lesquels, lesquelles).
Ex. : *El árbol bajo el cual estaba* : « l'arbre sous lequel il était ».
*El árbol alrededor del cual bailaban* : « l'arbre autour duquel ils dansaient ».

b) *Pronoms interrogatifs* (toujours accentués).

**qué** : fait référence aux choses.
Ex. : *¿ Qué hace usted ?* : « que faites-vous ? ».
*¿ Qué hay de nuevo ?* : « quoi de nouveau? ».
**quién** (pl. **quiénes**) : fait référence aux personnes.
Ex. : *¿ Quién está ahí ?* : « qui est là? ».
*¿ Quiénes son ?* : « qui sont-ils? ».
**cual** (pl. **cuales**) : est l'équivalent de *quel, lequel*.
Ex. : *¿ Cuál prefieres ?* : « lequel préfères-tu? ».
*¿ Cuál es tu nombre ?* : « quel est ton nom? ».

## 5 — Quelques pronoms et adjectifs indéfinis
(voir aussi aux éléments généraux) :

**algo** « quelque chose », **alguien** « quelqu'un », **alguno** « quelqu'un » (adj.), quelqu'un (pronom).

**nada** « rien », **nadie** « personne », **ninguno** et **nulo** « aucun, nul » (adj. et pron.) qui s'emploient sans négation.
**cada uno** « chacun », **todo** « tout » (pron. et adj.).
**lo demás** « le reste », **los demás** « les autres ».
**varios** « plusieurs », **mucho** « beaucoup (de) », **poco** « peu (de) ».


# IV — L'ADJECTIF ET L'ADVERBE

## 1 — Formes et fonctions de l'adjectif :

a) *Formation du pluriel et du féminin*. La formation du pluriel est la même que pour les noms (voir II, 1, p. 152).

— Adjectifs en **-o**, féminin en **a** :
Ex. : *alto - alta* « haut (e) », *gordo - gorda* « gros(se) », *malo - mala* « mauvais(e) ».

— Adjectifs terminés en **-án, -ín, -ón, -or, -ete, -ote**, adjectifs de nationalité : féminin en **-a** (ajouté ou substitué).
Ex. : *hombre trabajador* : « homme travailleur » - *mujer trabajadora* ( femme travailleuse » - *perro irlandés* « chien irlandais » - *perra irlandesa* « chienne irlandaise ».

— Autres adjectifs invariables.
Ex. : *niño feliz - niña feliz* : « enfant heureux » - « enfant heureuse ».

b) *Les augmentatifs et les diminutifs*. Les adjectifs espagnols peuvent comporter un suffixe diminutif ou augmentatif. (voir B, p. XVIII).
Ex. : *Una casa grandota* : « une maison très grande » (-ote, -ota : augmentatif).
*Una casa pequeñita* : « une maison très petite » (-ito, -ita : diminutif).

c) *L'apocope*. On appelle apocope la chute de la voyelle ou de la syllabe finale de certains adjectifs, lorsqu'ils sont placés devant le nom :
*Uno* « un », *alguno* « quelque », *ninguno* « aucun », *bueno* « bon », *malo* « mauvais », *primero* « premier », *tercero* « troisième » et *postrero* « dernier », perdent l'**o** final.
Ex. : *Un buen amigo* : « un bon ami ».

*Tanto* « si, aussi », *cuanto* « combien » devant un adjectif ou un adverbe, *ciento* « cent » et *santo* « saint » devant un nom (*ciento* aussi devant mil), perdent la syllabe **-to**.
Ex. : *Los cien mil hijos de San Luis* : « les cent mille fils de saint Louis ».

**Grande** perd la syllabe **-de** devant un nom à consonne initiale.
Ex. : *Un gran número* : « un grand nombre ».

d) *Place de l'adjectif.* L'adjectif occupe généralement la même place dans la phrase qu'en français.
Dans la phrase exclamative, l'adjectif se place immédiatement après **qué** ou **cuán**.
Ex. : *¡Qué tonto eres!* : « que tu es sot! ».

## 2 — Degrés de comparaison :

a) *Comparatifs.*

— Comparatifs d'égalité : **tan** : devant l'adjectif (ou l'adverbe), **como** devant le deuxième terme de la comparaison.
Ex. : *Soy tan alto como tú* : « je suis aussi grand que toi ».
**Tan** est la forme réduite de **tanto** qui apparaît devant un nom :
Ex. : *Tengo tanto tiempo como él* : « j'ai autant de temps que lui ».

— Comparatifs de supériorité et d'infériorité : **más** (« plus ») et **menos** (« moins ») devant l'adjectif (ou l'adverbe), **que** devant le deuxième terme de la comparaison.
Ex. : *Soy más pobre que tú* : « je suis plus pauvre que toi ».
        *Soy menos pobre que tú* : « je suis moins pauvre que toi ».

— Comparatifs irréguliers : *mayor* « plus grand », *menor* « moins grand », *mejor* « meilleur », *peor* « pire ».

b) *Superlatifs.*

— Superlatif absolu : suffixe **-ísimo** ou adverbe **muy** (« très »).
Ex. : *Muy grandes, grandísimos* : « très grands ».
Il y a quelques superlatifs absolus irréguliers comme ceux de *pobre* « pauvre » *(paupérrimo)*, *bueno* « bon » *(óptimo)*, *malo* « mauvais » *(pésimo)*, mais ils sont très peu usités.

— Superlatif relatif : **más** précédé de l'*article*.
Ex. : *El más importante* : « le plus important ».
Le superlatif relatif après le nom perd l'article, et s'il est suivi d'un verbe celui-ci se met à l'indicatif.
Ex. : *La mujer más guapa que conozco* : « la plus belle femme que je connaisse ».

## 3 — L'adverbe :

Les adverbes de manière se forment en ajoutant le suffixe **-mente** à la forme féminine, ou à la forme invariable de l'adjectif, qui conserve, le cas échéant, l'accent écrit. Si plusieurs adverbes de manière se suivent, la terminaison **-mente** ne s'ajoute qu'au dernier.

**Ex. :** *Nos atacó feroz y rápidamente* : « il nous a attaqués farouchement et rapidement ».

# V — LE VERBE

## 1 — Organisation de la conjugaison :

En espagnol, il y a trois conjugaisons que l'on distingue d'après la terminaison de l'infinitif : **-ar, -er, -ir.**
Les voix, les modes, les temps et les personnes sont, pour l'essentiel, les mêmes qu'en français.

## 2 — Formes personnelles; leurs emplois :

a) Les formes simples.

|  | 1<sup>re</sup> conjugaison Amar (aimer) | | 2<sup>e</sup> conjugaison Deber (devoir) | | 3<sup>e</sup> conjugaison Vivir (vivre) | |
|---|---|---|---|---|---|---|
|  | **Indicatif** | | | | | |
| Présent | amo | amamos | debo | debemos | vivo | vivimos |
|  | amas | amáis | debes | debéis | vives | vivís |
|  | ama | aman | debe | deben | vive | viven |
| Imparfait | amaba | amábamos | debía | debíamos | vivía | vivíamos |
|  | amabas | amabais | debías | debíais | vivías | vivíais |
|  | amaba | amaban | debía | debían | vivía | vivían |

| | amar | | deber | | vivir | |
|---|---|---|---|---|---|---|
| **Passé simple** | amé | amamos | debí | debimos | viví | vivimos |
| | amaste | amasteis | debiste | debisteis | viviste | vivisteis |
| | amó | amaron | debió | debieron | vivió | vivieron |
| **Futur** | amaré | amaremos | deberé | deberemos | viviré | viviremos |
| | amarás | amaréis | deberás | deberéis | vivirás | viviréis |
| | amará | amarán | deberá | deberán | vivirá | vivirán |

### Subjonctif

| | | | | | | |
|---|---|---|---|---|---|---|
| **Présent** | ame | amemos | deba | debamos | viva | vivamos |
| | ames | améis | debas | debáis | vivas | viváis |
| | ame | amen | deba | deban | viva | vivan |
| **Imparfait 1re forme** | amara | amáramos | debiera | debiéramos | viviera | viviéramos |
| | amaras | amarais | debieras | debierais | vivieras | vivierais |
| | amara | amaran | debiera | debieran | viviera | vivieran |
| **Imparfait 2e forme** | amase | amásemos | debiese | debiésemos | viviese | viviésemos |
| | amases | amaseis | debieses | debieseis | vivieses | vivieseis |
| | amase | amasen | debiese | debiesen | viviese | viviesen |
| **Futur** | amare | amáremos | debiere | debiéremos | viviere | viviéremos |
| | amares | amareis | debieres | debiereis | vivieres | viviereis |
| | amare | amaren | debiere | debieren | viviere | vivieren |

### Conditionnel

| | | | | | | |
|---|---|---|---|---|---|---|
| | amaría | amaríamos | debería | deberíamos | viviría | viviríamos |
| | amarías | amaríais | deberías | deberíais | vivirías | viviríais |
| | amaría | amarían | debería | deberían | viviría | vivirían |

### Impératif

| | | | | | | |
|---|---|---|---|---|---|---|
| | | amemos | | debamos | | vivamos |
| | ama | amad | debe | debed | vive | vivid |
| | ame | amen | deba | deban | viva | vivan |

— Le passé simple est beaucoup plus usité en espagnol qu'en français et s'emploie dans bien des cas où c'est le passé composé qui apparaît en français. Il s'applique, comme temps narratif, à l'action complètement révolue et sans contact avec le moment présent.

Ex. : *Visitó la catedral* : « il a visité la cathédrale ».

— Les deux formes de l'imparfait du subjonctif espagnol sont employées indifféremment. Elles sont fréquentes, notamment après la conjonction *si*, le verbe de la principale étant au conditionnel.

Ex. : *Si tuviese coche, os llevaría* : « si j'avais une voiture, je vous amènerais ».
Le futur du subjonctif est très peu usité.

b) *Les formes à auxiliaires.* Ces formes comportent toujours une forme personnelle du verbe **haber** (« avoir ») suivie du participe passé du verbe conjugué, selon un schéma analogue à celui du français.

### Haber

| Indicatif | | | | | | | |
|---|---|---|---|---|---|---|---|
| **Présent** | | **Imparfait** | | **Passé simple** | | **Futur** | |
| he | hemos | había | habíamos | hube | hubimos | habré | habremos |
| has | habéis | habías | habíais | hubiste | hubisteis | habrás | habréis |
| ha | han | había | habían | hubo | hubieron | habrá | habrán |

| Subjonctif | | | | | |
|---|---|---|---|---|---|
| **Présent** | | **Imparfaits** | | **Futur** | |
| haya | hayamos | hubiera -se | hubiéramos -semos | hubiere | hubiéremos |
| hayas | hayáis | hubieras -ses | hubierais -seis | hubieres | hubiereis |
| haya | hayan | hubiera -se | hubieran -sen | hubiere | hubieren |

| Conditionnel | | |
|---|---|---|
| habría | habríamos | **Participe présent** : habiendo |
| habrías | habríais | **Participe passé** :  habido |
| habría | habrían | |

— Le verbe **haber** est toujours auxiliaire ou impersonnel (« y avoir »); la forme **hay**, 3ᵉ personne du singulier de l'indicatif présent, n'est utilisée que comme verbe d'existence impersonnel : « il y a ». Ex. : *hay muy poca comida* : « il y a très peu de nourriture» (mais au sens temporel on emploie **hace** : *hace diez días* : « il y a dix jours ».

— Au sens de « posséder » ou de « devoir », c'est **tener** et non haber qui correspond à *avoir* en français.

## 3 — Formes nominales. Leurs emplois :

|  | 1ʳᵉ conjugaison | 2ᵉ conjugaison | 3ᵉ conjugaison |
|---|---|---|---|
| **Infinitif présent**<br>**Infinitif passé** | amar<br>haber amado | deber<br>haber debido | vivir<br>haber vivido |
| **Participe présent**<br>**ou Gérondif**<br>**Participe passé** | amando<br><br>amado | debiendo<br><br>debido | viviendo<br><br>vivido |

— L'*infinitif* présent peut s'employer au lieu de la 2ᵉ personne du pluriel de l'impératif. Ex. : *Venir acá* : « venez ici ».

— L'infinitif peut être substantivé par l'article. Précédé de **al**, il correspond à en+ *participe présent* en français (action concomitante).
Ex. : *El mirar de un perro moribundo* : « le regard d'un chien moribond ».
    *Al entrar en la iglesia* : « en entrant dans l'église ».

— L'infinitif sujet ou complément direct se construit comme un nom et la préposition française **de** ne se traduit pas.
Ex. : *Se prohíbe escupir* : « il est interdit de cracher ».

— Le *gérondif* espagnol correspond au participe présent français précédé de **en**.
Ex. : *Se sentó mirando el libro* : « il s'est assis en regardant le livre ». Après **estar**, il marque l'actualité de l'action : *Estoy bebiendo* : « je suis en train de boire ». Après ir, la progression : *Vamos llegando* : « nous approchons doucement ». Après *seguir*, la continuité : *Sigue trabajando* : « il continue à travailler ».

— Le *participe passé* n'est jamais séparé de l'auxiliaire.

Ex. : **Nos hemos divertido** *mucho* : « nous nous sommes beaucoup amusés.

— Dans les propositions absolues, il se place en tête.

Ex. : **Terminada** *la tarea, se fue* : « la tâche étant finie, il s'en alla ».

## 4 — La voix passive. Le verbe être :

a) *La voix passive.* Se forme avec l'auxiliaire **ser** et le participe passé du verbe conjugué, celui-ci s'accordant en genre et en nombre avec le sujet. La voix passive est moins utilisée en espagnol qu'en français.

b) *Le verbe être.*

**ser**

| Indicatif | | | | | | | |
|---|---|---|---|---|---|---|---|
| **Présent** | | **Imparfait** | | **Passé simple** | | **Futur** | |
| soy | somos | era | éramos | fui | fuimos | seré | seremos |
| eres | sois | eras | erais | fuiste | fuisteis | serás | seréis |
| es | son | era | eran | fue | fueron | será | serán |

| Subjonctif | | | | | | |
|---|---|---|---|---|---|---|
| **Présent** | | **Imparfaits** | | | | **Futur** |
| sea | seamos | fuera -se | fuéramos -semos | | fuere | fuéremos |
| seas | seáis | fueras -ses | fuerais -seis | | fueres | fuereis |
| sea | sean | fuera -se | fueran -sen | | fuere | fueren |

| Conditionnel | | Impératif | | | |
|---|---|---|---|---|---|
| sería | seríamos | | seamos | **Participe présent :** siendo | |
| serías | seríais | sé | sed | | |
| sería | serían | sea | sean | **Participe passé :** sido | |

— L'espagnol a deux verbes correspondant au verbe être : **ser et estar** qui ont chacun une fonction bien définie :

— **Ser** indique une qualité essentielle ou permanente du sujet.
Ex. : *Soy enfermo del hígado* : « je suis malade [chronique] du foie ».

— Le verbe être se rend par **ser** quand l'attribut est un nom, un pronom (expression d'une identification) ou un numéral et lorsqu'il introduit un complément de cause ou de finalité.
Ex. : *Este perro es el mío* : « ce chien est le mien ».
   *El último juez es Dios* : « le dernier juge est Dieu ».
   *Este traje es el que necesito* : « ce costume est celui dont j'ai besoin ».
   *Hoy somos ocho* : « aujourd'hui, nous sommes huit ».
   *Este instrumento es para trabajar* : « cet outil est pour travailler ».

— Le verbe **estar** indique un état transitoire ou accidentel.
Ex. : *Estoy enfermo del hígado* : « je suis (aujourd'hui) malade du foie ».

— Le verbe être se traduit pas **estar** quand il exprime le résultat d'une action, un jugement ou une localisation dans l'espace ou dans le temps.
Ex. : *La puerta está cerrada* : « la porte est fermée ».
   *Los deberes están mal hechos* : « les devoirs sont mal faits ».
   *La silla está en el rincón* : « la chaise est dans le coin ».
   *Estamos a 2 de junio* : « nous sommes le 2 juin ».

# 5 — Les verbes irréguliers :

a) *Caractéristiques*. Beaucoup de verbes espagnols présentent une variation de la voyelle du radical qui, comme en français (venir : il v**ie**nt; **mo**urir : il m**eu**rt) se dédouble au singulier et à la 3e du pluriel de l'indicatif présent.
Ex. : Acertar (« réussir ») : ac**ie**rto, ac**ie**rtas, ac**ie**rta, ac**ie**rtan.
   Adquirir (« acquérir ») : adqu**ie**ro, adqu**ie**res, adqu**ie**re, adqu**ie**ren.
   Morir (« mourir ») : m**ue**ro, m**ue**res, m**ue**re, m**ue**ren.

— Souvent on constate de grandes irrégularités dans la formation de la 1re personne de l'indicatif présent, qui s'écarte plus ou moins des autres personnes du même temps.
Ex. : Hacer (« faire ») : *hago - haces, hace,* etc.
   Caber (« être contenu ») : **quepo** - *cabes, cabe,* etc.

— En général, le subjonctif présent est formé sur la 1re personne du singulier de l'indicatif présent, même si elle est irrégulière.

Ex. : *Hacer : hago* - **haga**, *hagas, haga,* etc.
*Caber : quepo* - **quepa**, *quepas, quepa,* etc.
*Huir* (« fuir ») : *huyo* - **huya**, *huyas, huya,* etc.
*Decir* (« dire ») : *digo* - **diga**, *digas, diga,* etc.

— Lorsqu'un verbe a une irrégularité au radical du passé simple, on la retrouve toujours au radical des deux imparfaits et du futur du subjonctif.

Ex. : *Tener* (avoir) : **tuve** - **tuvi**era, **tuvi**ese, **tuvi**ere.
*Caber* (échoir) : **cupe**-**cup**iera, *cupiese, cupiere.*
*Decir* (dire ) : **dije** - **dij**era, *dijese, dijere.*

— Lorsque le futur de l'indicatif est irrégulier, le conditionnel subit les mêmes irrégularités.

Ex. : *Haber :* **habré** - **habría**.
*Hacer :* **haré** - **haría**.
*Caber :* **cabré**- **cabría**.
*Venir :* **vendré** - **vendría**.

b) *Liste des principaux verbes irréguliers.* — On ne donnera ici que la 1re et 2e personne du singulier de l'indicatif présent, la 1re p. sing. du passé simple et la 1re p. sing. du futur de l'indicatif. Avec ces quatre personnes on a la clef, pratiquement, de toutes les irrégularités des verbes compris dans la liste suivante :

| Infinitif | 1re et 2e p. sing. Indicatif présent | Passé simple | Futur |
|---|---|---|---|
| **Andar** (marcher) | ando, andas | anduve | andaré |
| **Atravesar** (traverser) | atravieso, atraviesas | atravesé | atravesaré |
| **Caber** (échoir) (être contenu) | quepo, cabes | cupe | cabré |
| **Caer** (tomber) | caigo, caes | caí | caeré |
| **Cerrar** (fermer) | cierro, cierras | cerré | cerraré |
| **Colgar** (accrocher) | cuelgo, cuelgas | colgué | colgaré |
| **Comenzar** (commencer) | comienzo, comienzas | comencé | comenzaré |
| **Conducir** (conduire) | conduzco, conduces | conduje | conduciré |
| **Conocer** (connaître) | conozco, conoces | conocí | conoceré |
| **Contar** (raconter) | cuento, cuentas | conté | contaré |
| **Costar** (coûter) | cuesto, cuestas | costé | costaré |
| **Crecer** (grandir) | crezco, creces | crecí | creceré |

| # MÉMENTO GRAMMATICAL | | | |
|---|---|---|---|
| **Creer** (croire) | creo, crees | creí | creeré |
| **Dar** (donner) | doy, das | di | daré |
| **Decir** (dire) | digo, dices | dije | diré |
| **Deshacer** (défaire) | deshago, deshaces | deshice | desharé |
| **Despertar** (réveiller) | despierto, despiertas | desperté | despertaré |
| **Detener** (arrêter) | detengo, detienes | detuve | detendré |
| **Devolver** (rendre) | devuelvo, devuelves | devolví | devolveré |
| **Distraer** (distraire) | distraigo, distraes | distraje | distraeré |
| **Divertir** (amuser) | divierto, diviertes | divertí | divertiré |
| **Doler** (avoir mal à) | duelo, dueles | dolí | doleré |
| **Dormir** (dormir) | duermo, duermes | dormí | dormiré |
| **Elegir** (choisir) | elijo, eliges | elegí | elegiré |
| **Empezar** (commencer) | empiezo, empiezas | empecé | empezaré |
| **Entender** (comprendre) | entiendo, entiendes | entendí | entenderé |
| **Estar** (être) | estoy, estás | estuve | estaré |
| **Haber** (voir) | he, has | hube | habré |
| **Hacer** (faire) | hago, haces | hice | haré |
| **Herir** (blesser) | hiero, hieres | herí | heriré |
| **Huir** (fuir) | huyo, huyes | huí | huiré |
| **Ir** (aller) | voy, vas | fui | iré |
| **Jugar** (jouer) | juego, juegas | jugué | jugaré |
| **Llover** (pleuvoir) | llueve (3ᵉ p.) | llovió (3ᵉ p.) | lloverá (3ᵉ p.) |
| **Medir** (mesurer) | mido, mides | medí | mediré |
| **Mentir** (mentir) | miento, mientes | mentí | mentiré |
| **Merendar** (goûter) | meriendo, meriendas | merendé | merendaré |
| **Morir** (mourir) | muero, mueres | morí | morirá |
| **Mover** (bouger) | muevo, mueves | moví | moveré |
| **Nacer** (naître) | nazco, naces | nací | naceré |
| **Negar** (nier) | niego, niegas | negué | negaré |
| **Nevar** (neiger) | nieva (3ᵉ p. sing.) | nevó (3ᵉ p.) | nevará (3ᵉ p.) |
| **Negar** (nier) | niego, niegas | negué | negaré |
| **Oír** (entendre) | oigo, oyes | oí | oiré |
| **Oler** (sentir) | huelo, hueles | olí | oleré |
| **Parecer** (sembler) | parezco, pareces | parecí | pareceré |
| **Pedir** (demander) | pido, pides | pedí | pediré |
| **Pensar** (penser) | pienso, piensas | pensé | pensaré |

| | | | |
|---|---|---|---|
| **Perder** (perdre) | pierdo, pierdes | perdí | perderé |
| **Poder** (pouvoir) | puedo, puedes | pude | podré |
| **Poner** (mettre) | pongo, pones | puse | pondré |
| **Probar** (essayer) | pruebo, pruebas | probé | probaré |
| **Querer** (vouloir) | quiero, quieres | quise | querré |
| **Recordar** (rappeler) | recuerdo, recuerdas | recordé | recordaré |
| **Reír** (rire) | río, ríes | reí | reiré |
| **Saber** (savoir) | sé, sabes | supe | sabré |
| **Salir** (sortir) | salgo, sales | salí | saldré |
| **Seguir** (suivre) | sigo, sigues | seguí | seguiré |
| **Sentar** (asseoir) | siento, sientas | senté | sentaré |
| **Sentir** (sentir) | siento, sientes | sentí | sentiré |
| **Ser** (être) | soy, eres | fui | seré |
| **Servir** (servir) | sirvo, sirves | serví | serviré |
| **Soler** (avoir l'habitude) | suelo, sueles | — | — |
| **Soltar** (lâcher) | suelto, sueltas | solté | soltaré |
| **Sonar** (sonner) | sueno, suenas | soné | sonaré |
| **Tener** (avoir) | tengo, tienes | tuve | tendré |
| **Traer** (apporter) | traigo, traes | traje | traeré |
| **Valer** (valoir) | valgo, vales | valí | valdré |
| **Venir** (venir) | vengo, vienes | vine | vendré |
| **Ver** (voir) | veo, ves | vi | veré |
| **Volar** (voler) | vuelo, vuelas | volé | volaré |
| **Volver** (retourner) | vuelvo, vuelves | volví | volveré |

# VI — LA PHRASE

## 1 — L'ordre des éléments.

Il est, en principe, le même qu'en français, c'est-à-dire : sujet, verbe, compléments (Faites connaissance avec l'espagnol, II, A, p. XVII) mais avec plus de souplesse. Les inversions sujet-compléments sont assez fréquentes. Lorsqu'on veut souligner l'importance d'un des éléments on le met, en général, à la première place.

Ex. : *Buenos azotes te van a dar* : « ils vont te donner une bonne fessée ».

## 2 — La négation.

Pour construire une phrase négative, on se sert uniquement de la négation **no**, qui doit précéder directement le verbe.

Ex. : *No fumo* : « je ne fume pas ».

Quand le verbe est *précédé* d'un mot impliquant une négation, comme *nada* (« rien »), *nadie* (« personne »), *nunca* (« jamais »), *ninguno* (« aucun »), *tampoco* (« non plus »), *jamás* (« jamais »), il n'est pas accompagné de la négation no.

Ex. : *Nunca llegarán* : « jamais ils n'arriveront ».
Mais : *No llegarán nunca* : « ils n'arriveront jamais ».

— La contrepartie positive d'une négation (« non pas... mais... ») est introduite par **sino**.

Ex. : *No es pino, sino abeto* : « ce n'est pas un pin, mais un sapin ».


## 3 — L'interrogation.

Dans les phrases interrogatives, l'inversion du sujet est de règle, mais elle ne se fait pas toujours, car l'intonation de la phrase interrogative espagnole suffit (comme souvent en français) à exprimer l'interrogation.

Ex. : *¿Conoce usted Madrid?* : « connaissez-vous Madrid? ».
*¿Usted conoce Madrid?* : « vous connaissez Madrid? ».

— Il ne faut pas oublier le point d'interrogation renversé devant le mot qui introduit la phrase interrogative.

— Les pronoms et les adverbes interrogatifs portent toujours un accent écrit.

Ex. : *¿Quién es?* : « qui est-ce? »
*¿Dónde estás?* : « où es-tu? ».

# TABLE DES PLANCHES

# TABLE DES MATIÈRES

Achevé d'imprimer par l'imprimerie Tardy Quercy S.A. à Bourges,
le 10 mai 1985. No d'édition : 3200. No d'impression : 12315
Dépôt légal : 2e trim. 1985. Printed in France.